Mauro Giuliani

Le Rossiniane

opus 119, 120, 121, 122, 123, 124

pour guitare seule
per chitarra sola · for solo guitar

édition critique et notes pour l'interprétation de
edizione critica e note sull'interpretazione di
critical edition and interpretation notes by

Frédéric Zigante

I0805561

DURAND Editions Musicales

Traduction française de Sophie Le Castel
English translation by Avery Gosfield

Éditions Max Eschig

édition du
22 juin 2021
979-0-044-09519-3

DF 16696

TABLE / INDICE / CONTENTS

Gioachino Rossini – Mauro Giuliani
Le Rossiniane

Le compositeur

Si de nos jours Mauro Giuliani est considéré, avec le Catalan Fernando Sor, comme le guitariste-compositeur le plus important du début du XIXe siècle, c'est grâce au considérable travail de recherche et de réhabilitation réalisé, à partir de 1971, par l'Américain Thomas Heck et successivement par Ruggero Chiesa, Mario Torta, Marco Riboni et Gerhard Penn. C'est à leur engagement que l'on doit le retour progressif dans les programmes de concerts de la musique de Giuliani, qui vers la fin du XIXe siècle était quasiment tombée dans l'oubli et ne figurait que marginalement au répertoire des grands guitaristes de la première partie du XXe siècle. Giuliani fut le principal concertiste de guitare de son époque et sa réputation s'étendit bien au-delà du monde des passionnés de l'instrument: il fut un musicien accompli et pleinement inséré dans l'élite musicale de son temps. En septembre 1816, Carl Maria von Weber, commentant l'un de ses concerts, écrivait: « Nos attentes étaient grandes, étant donné la renommée qui précédait l'Artiste; mais on ne saurait nier que l'exécution de monsieur Giuliani les a non seulement satisfaites, elle les a même dépassées »[1].

Fils de Michele Giuliani et Antonia Tota, Mauro Giuliani, de son nom entier Mauro Giuseppe Serio Pantaleo, nacquit à Bisceglie, dans les Pouilles, le 27 juillet 1781, cadet de cinq enfants. La famille Giuliani devait être aisée puisqu'elle put assurer à toute la fratrie une bonne éducation tant générale que musicale, au point que les deux fils se tournèrent vers la profession de musicien : Mauro et son frère aîné Nicola, violoniste, chanteur et compositeur, qui fit carrière en Russie et à Paris. On ne sait pas grand-chose de leur éducation musicale, mais on peut attribuer un rôle d'une quelque importance à Gaetano Lucci, violoncelliste et guitariste napolitain qui, en tant que fiancé d'Emanuela, sœur aînée de Mauro, vécut pendant un certain temps dans la demeure des Giuliani. Ce qui est sûr c'est que Mauro reçut une formation musicale complète de guitariste, de violoncelliste et de compositeur, comme l'attestent déjà clairement ses toutes premières œuvres. Néanmoins, il se rendit vite compte qu'en Italie être musicien sans s'occuper d'opéra était pratiquement impossible, tant la musique instrumentale était négligée en faveur de l'art lyrique. C'est pourquoi, après un bref séjour à Trieste, il décida d'aller tenter sa chance à Vienne, où il s'installa en 1806, s'y présentant comme artiste «napolitain», une qualification qu'il n'usurpait pas puisque les Pouilles faisaient alors partie du Règne de Naples. Au plan musical Vienne était alors sans nul doute l'une des capitales les plus importantes d'Europe et y recevoir de la critique un accueil favorable représentait pour un virtuose-compositeur la consécration d'une carrière internationale. Par comparaison avec les migrations d'autres guitaristes italiens du début du XIXe siècle, dont la destination préférée était presque toujours Paris, où la guitare faisait l'objet d'un véritable engouement, le choix de Giuliani de se fixer à Vienne s'avéra à la fois original et fort heureux. On l'y acclama aussitôt comme le meilleur guitariste vivant, ce qui lui permit de mener durant treize années – il demeura à Vienne jusqu'en 1819 – une activité intense faite de concerts privés et publics, de leçons et d'un travail éditorial fécond qui le vit collaborer avec les principaux éditeurs viennois, tels que l'Imprimerie Chimique, Cappi & Diabelli, Steiner et Domenico Artaria. Favorisé également par un charme reconnu – un commentateur notait: « L'élégant Italien, qui est aussi un homme jeune et fort avenant, un authentique Antinoüs [...] »[2] – et par un don de communication incontestable, Giuliani sut s'intégrer dans le brillant milieu musical viennois en nouant des liens d'amitié et de collaboration avec des musiciens de la stature de Ludwig van Beethoven, des pianistes Johann Nepomuk Hummel et Ignaz Moscheles, du violoniste Josef Mayseder, et de l'inventeur de machines musicales et théâtrales Johann Nepomuk Maelzel; selon toute vraisemblance il rencontra aussi Franz Joseph Haydn et Franz Schubert. Le 3 avril 1808 il joua pour la première fois son *Concerto* opus 30 pour guitare et grand orchestre, pièce maîtresse de sa production : pour la première fois la guitare à six cordes se mesurait à un grand orchestre et ce fut

[1] Journal de Weber, 2 octobre 1816, cité in Marco Riboni, *Mauro Giuliani*, L'Epos, Palerme, 2011.

[2] Extrait d'une lettre de 1810 de Johann Friedrich Reichardt citée in Marco Riboni, *Mauro Giuliani*, L'Epos, Palerme, 2011 et in T. F. Heck, *Mauro Giuliani: virtuoso Guitarist and Composer*, Editions Orphee, Columbus, 1995.

un succès sans précédent, qui entraîna nombre d'autres exécutions, dont l'une à Berlin, sous la direction de Carl Maria von Weber. Les 8 et 12 décembre 1813, Giuliani participa à deux concerts commémoratifs d'inspiration patriotique auxquels prirent part tous les virtuoses en vue qui résidaient à Vienne ; le programme comprenait notamment la création de la *Septième Symphonie* en La majeur opus 92 de Beethoven, dirigée par le compositeur en personne, ainsi que l'ouverture « La victoire de Wellington » opus 91 du même Beethoven, où le bruitage de la bataille était confié aux machines de Maelzel.

En 1819, à l'âge de trente-huit ans, Giuliani quitta brusquement Vienne pour regagner l'Italie sans délai afin d'éviter les conséquences d'une procédure judiciaire pour dette et de soustraire à l'attention peu tolérante de la police viennoise vers sa vie privée, qui était apparemment fort désinvolte. Il se rendit d'abord à Rome, où il resta de 1820 à 1823, pour s'établir ensuite à Naples jusqu'à sa mort.

Durant son séjour romain, Giuliani ne donna que de rares concerts ; son activité éditoriale sur place fut quasiment nulle (il continua en revanche à publier chez ses anciens éditeurs viennois et chez Ricordi) et il constata bien vite que la vie musicale dans la capitale de l'État Pontifical ne lui offrait aucune perspective. Ce fut pourtant à Rome précisément que Giuliani fréquenta Gioachino Rossini et Niccolò Paganini. À Naples, ville bien plus animée que Rome du point de vue musical, Giuliani dut avoir l'impression de renaître, même si on peut déduire de ses lettres à l'éditeur Domenico Artaria qu'il ne cessa jamais de regretter Vienne et de caresser le projet d'y retourner. Mais sa santé devait être déjà minée par la maladie inconnue qui le porta à la mort, dans la nuit entre le 7 et le 8 mai 1829. Il n'avait que quarante-huit ans.

La production musicale de Giuliani comprend 230 œuvres, dont 150 numérotées. Elle comporte essentiellement des pièces pour guitare seule, une grande quantité de musiques de chambre où à la guitare s'unissent violon, flûte, piano ou chant, et trois concertos pour guitare et grand orchestre. On y trouve les formes les plus couramment adoptées par les musiciens européens de l'époque : sonates, parfois dissimulées sous d'autres titres, variations, pièces brèves ou caractéristiques telles que rondos, caprices, divertissements, pots-pourris faits de thèmes empruntés à l'opéra ou, plus rarement, à la musique populaire, ainsi que de nombreux recueils d'études. L'une des réalisations majeures de l'art de Giuliani consiste dans ses trois concertos opus 30, 36 et 70, parmi les premiers exemples d'un genre qui eut une large diffusion au XXe siècle. Giuliani paya également son tribut au *rossinisme*, phénomène d'assimilation stylistique amplement répandu à l'époque, avec les six grands pots-pourris monographiques intitulés *Le Rossiniane* (opus 119–124), la *Grande Ouverture* opus 61 et quelques *Variations*, comme l'opus 114 basé sur un thème de Michele Carafa, ami et collaborateur de Rossini. Mauro Giuliani est en outre l'auteur d'une méthode importante, *Studio per la Chitarra* opus 1 [titre français *Étude de la guitare* opus 1a, *n.d.t.*], encore très utilisée de nos jours.

Au plan stylistique, une lecture des partitions de Giuliani dévoile à première vue la présence de deux âmes, l'une italienne et l'autre viennoise. En suivant les traces de la finalité ou de la destination de ses compositions, on parvient à établir une classification ponctuelle et satisfaisante de sa production. Cette approche méthodologique, suggérée par Marco Riboni, induit précisément à distinguer au sein de son œuvre d'une part le style galant viennois, Biedermeier, brillant, virtuose, de l'autre un style de dérivation italienne, influencé par l'opéra et sa vocalité, qui s'exprime dans des réductions et des transcriptions, de même que dans les nombreuses pièces faciles et récréatives, parfois à but didactique, de la dernière période[3].

Le Rossiniane

Publiées entre 1821 et 1828, *Le Rossiniane* forment un ensemble de six pots-pourris entièrement basés sur des musiques issues d'opéras de Gioachino Rossini.

Le terme de *pot-pourri*[4] ne se trouve ni dans les deux manuscrits autographes qui nous sont parvenus ni dans les éditions viennoises et italiennes publiées du vivant de Giuliani. Lui-même s'en servit toutefois dans une lettre datée de Rome, 6 février 1821, à l'éditeur Giovanni Ricordi, où il lui proposait d'acquérir et de publier une série de compositions parmi lesquelles figure un « Grand Pot-Pourri pour

[3] M. Riboni, *op. cit.*

[4] Pot-pourri est un calque de l'espagnol *olla podrida*. Le terme a des origines culinaires et se dit d'une œuvre littéraire ou musicale faite de la fusion de plusieurs pièces diverses.

guitare, dit la *Rossiniana*, pièce dont je me sers dans mes concerts»[5]. Giuliani, probablement, utilisa le terme pour appâter l'éditeur par des perspectives de succès commercial que ce genre promettait. Quelques lignes plus haut le virtuose avait retracé la genèse de la composition: «Durant le séjour que j'ai fait à Rome, j'ai entrepris d'écrire des pièces musicales d'un style inconnu à ce jour, en outre j'ai fait la connaissance personnelle de Rossini, lequel m'a donné de nombreux originaux, pour en faire tout ce qui me plaît; conclusion: cette musique, je voudrais la publier ».

Pendant ses années romaines, Giuliani fut lié d'une amitié conviviale avec Rossini et Paganini. Ces relations sont évoquées dans la *Vita di Niccolò Paganini da Genova scritta ed illustrata da Giancarlo Conestabile socio di varie accademie* (Perugia, 1851), [*Vie de Niccolò Paganini de Gênes, écrite et illustrée par Giancarlo Conestabile, membre de plusieurs académies, (Pérouse, 1851)*]; selon Conestabile, pendant la période des représentations de *Matilde di Shabran* de Rossini au théâtre Apollo, « les deux sublimes talents de l'art italien, c'est-à-dire Giuliani et Paganini, étaient toujours inséparables du Cygne de Pesaro, l'un jouant de la guitare, l'autre du violon » dans la résidence romaine du grand compositeur.

On en trouve mention également chez le biographe de Giuliani, Filippo Isnardi, qui écrivait en 1836: « Mauro Giuliani rentrait de Vienne *à* Naples, très impatient de regagner le sol natal, mais, arrivé à Rome le 3 août 1819, il y resta, y ayant rencontré les célèbres Rossini et Paganini, avec qui il donna des divertissements si applaudis qu'on baptisa leur groupe le Triumvirat musical»[6]. Le 24 février 1821, Paganini dirigea la première représentation de *Matilde di Shabran*, du fait que le premier violon et maître concertant était tombé malade: ce n'est peut-être pas un hasard s'il y a dans cet opéra un très court solo de guitare, à quoi, avec la fameuse chanson du Comte Almaviva « Se il mio nome saper voi bramate » dans *Il barbiere di Siviglia* [*Barbier de Séville*], se résume l'intervention que Rossini confia à l'instrument.

La lettre de Giuliani à Ricordi, qui attendit 1828 avant de publier une *Rossiniana* (la n° 6 opus 124), permet de dégager quelques éléments importants : le premier est que *Le Rossiniane* sont de la musique de concert que Giuliani jouait en public ; le deuxième est que Rossini non seulement était au courant du projet qui devait porter son nom mais que, d'une certaine manière, il y collabora en offrant à Giuliani quelques thèmes originaux. Le troisième élément à relever est que Giuliani avait conscience que ces pièces représentaient dans sa production et dans le panorama musical de l'époque une nouveauté, « d'un style inconnu à ce jour »[7].

Le genre du pot-pourri était parmi les plus populaires dans la littérature instrumentale du début du XIXe siècle. Il consistait dans l'assemblage d'un certain nombre de thèmes musicaux particulièrement attrayants en une seule composition qui se développait sans discontinuité. Il existait différents types de pots-pourris, dont les thèmes pouvaient être aussi bien de différents compositeurs[8] que d'un seul (comme dans les *Rossiniane*) et en ce cas-là ils pouvaient même être empruntés à un seul opéra. À défaut des moyens modernes de reproduction sonore de la musique, ce genre assumait une fonction très importante: celle de porter dans les demeures un répertoire le plus souvent créé pour le théâtre. Mais c'étaient précisément la fonction divulgatrice et le caractère commercial de la plupart des pots-pourris qui en compromettaient la valeur artistique: comme il fallait offrir de la musique à la fois pas trop difficile à

---

[5] La lettre est conservée à Londres, dans la bibliothèque privée de Robert Spencer (aujourd'hui à la Royal Academy of Music); elle est reproduite en facsimilé in: *Mauro Giuliani, Rossiniana n. 1 for solo guitar,* Op. 119, edited and revised by Julian Bream, Faber Music Ltd., Londres, 1979, deux pages non numérotées. Il s'agit d'un assemblage entre la *Rossiniana* opus 119 et une partie de l'opus 122.

[6] Filippo Isnardi, *Cenni biografici intorno a Mauro Giuliano* [*sic*] in *L'Omnibus*, feuille périodique, IV/3, Naples 30 avril 1836, cit. in: Thomas Heck, « Giuliani in Italia » in *Il Fronimo*, II/luglio 1974, p. 16.

[7] Dans une lettre du 23 juillet 1822, adressée à Domenico Artaria, Giuliani écrivait : «Je tiendrais à savoir si par la suite vous souhaitez avoir des exemplaires de l'œuvre, *Le Rossiniane*, car je compte aller jusqu'au numéro 12, ou au 18 ». Ce projet resta sans suite. La lettre est conservée à Vienne, à la Wiener Stadt-und Landesbibliothek. Handschriftensammlung, cote: J.N. 69733.

[8] Mauro Giuliani n'en était pas à sa première composition de ce genre: il avait en effet publié, avant les *Rossiniane*, six autres pots-pourris présentés comme tels jusque dans le titre: *1er Pot-Pourri pour la guitarre* [*sic*] opus 18 (Artaria, Vienne 1808), *Pot-Pourri pour la guitarre* opus 26 (Imprimerie Chimique, Vienne 1810), *Second Pot-Pourri pour la guitarre* opus 28 (Artaria, Vienne 1811), *3ème Grand Pot-Pourri pour la guitarre* opus 31 (Artaria, Vienne 1811), *4ème Pot-Pourri pour la guitarre* opus 42 (Artaria, Vienne 1814) et *Pot-Pourri Nazionale Romano per Lira o chitarra sola* opus 108 (Ricordi, Milan 1823) basé sur des chansons romaines en vogue à l'époque. Ces pots-pourris ne reposent pas sur des thèmes d'un seul compositeur, comme les *Rossiniane*, mais ils empruntent des citations à des compositeurs très divers voire, dans le cas du dernier, à des musiques de caractère local. Giuliani y élabore avec sa maestria habituelle un matériel préexistant, qu'il réussit à adapter à l'idiome de la guitare avec des résultats d'un grand effet; toutefois ces pots-pourris ne font guère que suivre une tradition et voient le jour avec un but commercial.

jouer et d'une écoute facile et immédiate, l'apport de l'auteur du pot-pourri se trouvait souvent réduit à l'extrême, même lorsqu'il s'agissait de compositeurs dotés de capacités créatives bien supérieures.[9] La nature hétérogène du pot-pourri et le fait qu'il se base presque toujours sur un matériau thématique préexistant en ont fait un genre qui au fil du XIXe siècle a été considéré, avec une suspicion et une morgue croissantes, comme à peu près dépourvu de dignité et d'identité artistiques. Si une lecture sommaire de la majorité des pots-pourris de l'époque[10] ne peut que confirmer cette opinion, force est cependant de constater qu'entre les mains d'artistes plus distingués le genre a atteint des pointes qualitatives parfois remarquables. Qu'on songe à la contribution qu'y a donnée Franz Liszt avec ses paraphrases, qui par leur originalité et leur somptuosité s'élèvent au rang d'œuvres d'art accomplies voire de véritables chefs-d'œuvres.

Il est donc légitime, à mon avis, d'établir une distinction entre les pots-pourris destinés à une consommation populaire et ceux qu'aujourd'hui nous définirions «de concert», autrement dit conçus pour des virtuoses tels que l'était Giuliani lui-même. En ce sens, les *Rossiniane* représentent dans le répertoire de la guitare un sommet jamais atteint par d'autres compositeurs. Sans doute cette distinction était-elle parfaitement claire aussi pour les éditeurs qui les premiers publièrent *Le Rossiniane*, dans l'ordre Artaria, Diabelli et Ricordi, lesquels – à l'unanimité – s'abstinrent d'utiliser le terme de pot-pourri ou tout autre intitulé pouvant évoquer la catégorie. Diabelli alla jusqu'à modifier les titres donnés par Giuliani, en annexant les *Rossiniane n° 4* opus 122 et *n° 5* opus 123 au genre de la fantaisie. Un autre élément dénotant la considération des éditeurs pour les *Rossiniane* est le prix de vente plutôt élevé indiqué sur les frontispices, un critère qui souligne l'importance de ces compositions.

« [...] un style inconnu à ce jour »

Il serait restrictif de chercher une définition du style « inconnu à ce jour » – « uno stile giammai conosciuto » selon les termes de Giuliani –, uniquement dans la destination des *Rossiniane* à une exécution en concert ou dans leur caractère monographique ou encore dans leurs qualités formelles, assurément originales et inédites pour un pot-pourri. Il est à noter qu'au retour en Italie de Giuliani sa production pour guitare acquit une plus grande richesse de son et une écriture plus variée, s'émancipant des schémas rigides typiques de la période viennoise. Cette évolution fut le fruit d'un travail long et approfondi du compositeur sur un matériel préexistant, presque toujours attribuable à Rossini, et qui par conséquent ne répondait pas à une logique instrumentale ni, a fortiori, guitaristique. C'est l'extraordinaire aptitude de Giuliani à réaliser dans l'idiome de la guitare n'importe quelle idée musicale, une aptitude qui émerge dans ses transcriptions[11], qui lui permit de créer pour l'instrument un style nouveau, « inconnu à ce jour », précisément.

Les citations rossiniennes peuvent se subdiviser en trois catégories. Tout d'abord les *citations principales*, c'est-à-dire les idées musicales qui ouvrent un air ou une autre forme close : on en recense une trentaine, qui ont été identifiées par Stefano Castelvecchi dans une étude de 1986[12]. Il s'agit de citations

---

[9] C'est le cas, pour citer un exemple, de Ferdinando Carulli (1770–1841), auteur lui aussi de pots-pourris dédiés à Rossini, dont les titres illustrent clairement le programme du compositeur : *Les Pensées de Rossini ou Choix de ses plus jolis Motifs arrangés en caprice pour la guitare*, ou bien *Rossini à la portée des Commençants ou DEUX CAPRICES sur les Motifs les plus heureux de ce Célèbre Auteur d'une exécution très facile pour la guitare*, ou encore *Fantaisie avec variations sur les plus jolis Motifs de « La Donna del Lago » de ROSSINI, composée pour la Guitare*. Il s'agit, dans tous les cas, de brefs fragments thématiques entrecoupés de quelques variations instrumentales et avec des transitions entre les « jolis motifs » aussi courtes que conventionnelles.

[10] On peut y inclure un projet, analogue à celui de son père Mauro, d'Emilia Giuliani (1813–1850) qui, entre 1834 et 1836, publia chez Ricordi six pots-pourris intitulés *Belliniana*, non conçus comme un cycle, avec les numéros d'opus 2, 4, 6, 7, 8, 11 et dérivés d'un matériel thématique de Vincenzo Bellini.

[11] Nombre desquelles sont rossiniennes, comme les ouvertures de *Cenerentola* [*Cendrillon*] et de *Semiramide* [*Sémiramis*], ainsi que plusieurs autres extraits de cette dernière publiés sans numéro d'opus pour guitare seule chez Artaria, Ricordi et Girard pendant le dernier séjour italien de Giuliani. En 1830 Ricordi édita également, posthumes, quatre ouvertures rossiniennes transcrites pour deux guitares, tirées de *Elisabetta, regina d'Inghilterra* [*Élisabeth, reine d'Angleterre*], *La Cenerentola* [*Cendrillon*], *L'assedio di Corinto* [*Le siège de Corinthe*] et *La gazza ladra* [*La Pie voleuse*].

[12] Stefano Castelvecchi, *Le Rossiniane di Mauro Giuliani*, in «Bollettino del Centro rossiniano di studi», 1986 1–3, Fondation Rossini, Pesaro, p. 33–71. En 1976–77 Ruggero Chiesa a préparé une édition en trois volumes des trois premières *Rossiniane* (opus 119–121), où il a présenté un travail approfondi sur l'identification des originaux rossiniens.

plutôt étendues, comme celle de la cavatine de Ninetta tirée du premier acte de la *Gazza ladra* [*La Pie Voleuse*] dans la *Rossiniana n° 2* opus 120, exposée par deux fois et ornée avec force fioritures intégralement notées[13].

Les thèmes principaux utilisés par Giuliani dans chaque *Rossiniana* sont au nombre de 5, sauf dans la 6ᵉ (opus 124), qui en a 4 et dans la 5ᵉ (opus 123), où on en compte 6[14]. L'identification non tant des thèmes mais des opéras dont ils sont issus nous est fournie par Giuliani dans les deux manuscrits qui nous sont parvenus (opus 121 et 123), alors que nous ne trouvons des renseignements analogues que dans les éditions de la 3ᵉ (opus 121) et de la 6ᵉ (opus 124) : les éditeurs de Giuliani n'attachaient évidemment pas grande importance à cette question.

Le deuxième type de citations concerne des fragments très courts tirés de thèmes secondaires et utilisés par Rossini comme éléments de transition. On en a un exemple extrêmement concis dans la citation de trois mesures orchestrales seulement, issues de *Cenerentola* [*Cendrillon*], qui concluent l'Introduction de la *Rossiniana n° 3* opus 121.

Parte orchestrale, Scena e Duetto "Un soave non so che", *La Cenerentola*, Atto I (Cenerentola - Don Ramiro).

Signalons deux autres exemples significatifs de ce deuxième type de citations.
Le premier consiste dans les mesures 23-35 de la cinquième partie de la *Rossiniana* opus 122.

En 1990-91, Chiesa a publié les trois autres *Rossiniane* opus 122-124. L'entreprise de Chiesa représente la plus grande réalisation éditoriale moderne consacrée aux *Rossiniane*. D'autres contributions modernes sont celles de Thomas Heck et Brian Jeffrey, qui ont établi deux éditions en facsimilé du cycle, de Julian Bream, de Carlo Carfagna et de Fabio Rizza qui en ont édité des révisions modernes. Nous avons déjà signalé que l'édition publiée par Julian Bream sous le titre de *Rossiniana n° 1* est un assemblage entre une grande partie de l'opus 119 et une section de l'opus 122. Bien que l'approche de Bream (un assemblage tiré de deux assemblages !) soit discutable, il faut admettre que la connaissance même de l'existence des *Rossiniane* au XXᵉ siècle et la réinsertion stable de ces compositions dans le répertoire des guitaristes doivent beaucoup au célèbre interprète britannique.

[13] L'exposition des emprunts rossiniens présente un grand intérêt : Giuliani orne les thèmes selon la pratique vocale courante à l'époque, dont on trouve témoignage dans les traités de chant les plus connus du temps. Le plus célèbre d'entre eux, le *Traité complet de l'art du chant* de Manuel Garcia fils (Paris, 1847), contient parmi ses exemples musicaux près de la moitié des motifs utilisés par Giuliani dans les *Rossiniane*.

[14] Il n'y a qu'un seul endroit où Rossini n'est pas l'auteur de la citation musicale, c'est dans la *Rossiniana* opus 120, dont le 2ᵉ thème principal (Allegretto innocente), qui est tiré de l'*Armida* acte I "Arditi all'ire" (Goffredo), est en réalité une cavatine, « Nume perdonami, se in tale istante », de Pietro Generali (1773-1832), issue de l'opéra *I baccanali di Roma* (représenté pour la première fois à Venise en 1815), que Rossini reprit dans l'*Armida* (créée à Naples en 1817). Il est très improbable que Giuliani ait ignoré qui était le véritable auteur de l'air, puisque, dans les *Variazioni* [*Variations*] opus 102, publiées à Vienne en 1819, chez Cappi & Diabelli, il attribuait la « Cavatine favorite » à « Sigr. Pietro Generali ».

Il est fort intéressant d'observer que ce même fragment a été utilisé par Rossini lui-même, toujours comme élément de transition, dans des œuvres diverses et des situations différentes : on le rencontre pour la première fois en 1808, dans un travail de fin d'année scolaire, la cantate *Il pianto d'Armonia per la morte di Orfeo*, pour le retrouver ensuite dans des opéras très dissemblables comme *La pietra di paragone* [*La pierre de touche*] (1812), *L'occasione fa il ladro* [*L'occasion fait le larron*] (1812), *Il barbiere di Siviglia* [*Le Barbier de Séville*] (1816), *Mosè in Egitto* [*Moïse en Égypte*] (1818) et sa version en français *Moïse et Pharaon* (1827).

Les finales également, qui donnent lieu à d'exceptionnels déploiements de virtuosité, révèlent la main de Rossini, comme notamment le vertigineux finale de la *Rossiniana nº* 6 opus 124, emprunté à l'Ouverture de *Semiramide*.

Sinfonia, *Semiramide*.

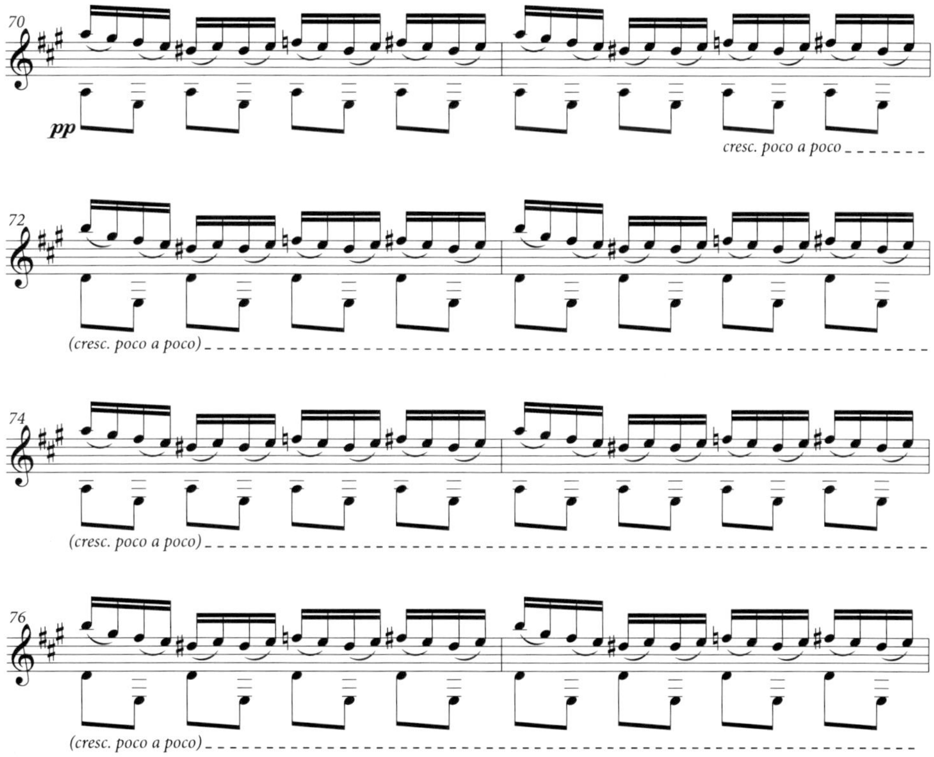

La troisième catégorie est celle des citations qu'on pourrait qualifier d'« imitatives » : Rossini n'y est pas cité littéralement mais simplement évoqué par certains de ses gestes musicaux typiques. Dans les transitions entre un thème et l'autre, par exemple, Giuliani recourt fréquemment au *crescendo,* qui reproduit, dans une structure formelle limitée par les possibilités dynamiques de la guitare bien sûr plus modestes que celles de l'orchestre, tous les éléments du modèle rossinien (4 mesures, T/D/T/D nuance ***p*** + 4 mesures, T/D/T/D nuance *crescendo* + 4 mesures, T/D/T/D nuance ***ff***, dans un mouvement harmonique alternant tonique et dominante où se répètent les incises mélodiques). À ce type de citation imitative appartient notamment une grande partie de l'Introduction de la *Rossiniana nº* 6 opus 124 où, selon Arrigo Quattrocchi :

Dans les 31 premières mesures, [Giuliani] semble faire allusion en plusieurs endroits à des couleurs orchestrales (bois et cuivres) ; puis, à partir de la 32e, il utilise une incise de doubles croches empruntée à l'*Italiana in Algeri* (duo «Se inclinassi a prender moglie») et introduit ensuite, à la 43e, un motif en notes rebattues dérivé de l'Ouverture de *Semiramide*, qui, avec le «thème de l'ombre» successif, prépare le vaste épisode qui se rapporte à cet opéra[15].

Malgré la proportion imposante de matériel rossinien, les interventions originales de Giuliani sont nombreuses dans les *Rossiniane*; elles consistent en quelques Introductions, plutôt étendues dans l'économie de ces pièces, ainsi que dans les passages de transition, dans les variations et dans la plupart des brillants finales.

Plusieurs compositions précédentes, comme la *Grande Ouverture* opus 61, certains thèmes et variations, ou encore les *Ariette* opus 95 pour chant et guitare, prouvent avec évidence que Mauro Giuliani s'est parfaitement identifié au style de Rossini ; mais c'est dans les *Rossiniane* seulement qu'il atteint des résultats d'une osmose et d'une cohérence stylistique aussi incomparables. C'est que, ne se bornant pas à citer le Maestro de Pesaro en lui empruntant des matériaux thématiques dans leur intégralité, Giuliani assimile en outre certaines de ses tournures compositionnelles: un phénomène bien connu à l'époque sous le nom de *rossinisme*.

Par ailleurs Giuliani est très attentif au choix des thèmes principaux (toujours d'un caractère antithétique dans le cadre d'une même *Rossiniana*) et se révèle capable de saisir non seulement l'essence strictement mélodique des opéras de Rossini mais aussi leur théâtralité, transformant ainsi ses pièces en des sortes d'actes d'opéra en miniature, à mesure de la guitare, à la fois d'une grande pertinence instrumentale et d'une organisation agogique efficace.

[15] Arrigo Quattrocchi, *Esercizi di memoria*, a cura di Daniela Macchione e Alessandra Quattrocchi, Il Saggiatore, Milan 2017, p. 163–174.

Sources

Rossiniana n° 1 opus 119

Manuscrit autographe : non localisé

Manuscrit non autographe : Milan, Conservatoire Giuseppe Verdi, Fonds Noseda M-15-7-1, sans date.

N.° Sei / Rossiniane / per Chitarra / Composte / Da / Mauro Giuliani / 1.ª / opera 119 / 3 [prix à droite]

Première édition (1821)

LE ROSSINIANE / per la Chitarra / Composte e Dedicate / A Sua Eccellenza / Il Signor Don Enrico Caetani / Duca di Sermonetta / da/ MAURO GIULIANI / 1 parte / Op. 119. [n° écrit à la main] / Publicate / a Vienna da Artaria e Compag. / N° 2662. 2718. [à gauche] / Pr. .1fl – C.M.[16]

Emplacement : Collection de Robert Spencer, Royal Academy of Music, Londres.

Facsimilé reproduit in : *Mauro Giuliani. The complete works in facsimiles of the original editions*, vol. 13, edited by Brian Jeffrey, Tecla Editions, Londres, 1986.

Rossiniana n° 2 opus 120

Manuscrit autographe : non localisé

Manuscrit non autographe : Milan, Conservatoire Giuseppe Verdi, Fonds Noseda M-15-7-2, sans date.

N.° Sei / Rossiniane / per Chitarra / Composte / Da / Mauro Giuliani / 2.da / opera 120. / 2 3/4 [prix, à droite]

Première édition (1822)

LE ROSSINIANE/ per la Chitarra / Composte et Dedicate / A Sua Eccellenza / Il Signor Don Enrico Caetani / Duca di Sermonetta / da/ MAURO GIULIANI / II parte / Op. 120 [n° écrit à la main] / Publicate/ a Vienna da Artaria e Compag. / N° 2662. 2718. [à gauche]

Emplacement : Conservatoire de musique, Oslo.

Facsimilé reproduit in : *Mauro Giuliani, cit.*

Rossiniana n° 3 opus 121

Manuscrit autographe, sans date ni lieu ; Berlin, Staatsbibliothek Preussischer Kulturbesitz, Mus. Ms. 7660/1; 8 ff.

Le / Rossiniane / per / Chitarra / Composte et Dedicate / A Sua Eccellenza / Il Signor Don Enrico Caetani / Duca di Sermoneta / da / Mauro Giuliani / Parte Terza / Opera 121 / N° 2769

Manuscrit non autographe : le Fonds Noseda du Conservatoire de Milan ne contient pas l'opus 121.

Première édition (1822)

LE ROSSINIANE/ per la Chitarra / Composte e Dedicate / A Sua Eccellenza / Il Signor Don Enrico Caetani / Duca di Sermonetta / da / MAURO GIULIANI / 3ª parte / Op. 121. [n° écrit à la main] / Publicate / a Vienna da Artaria e Compag. / N° 2662. 2718. [à gauche]

Emplacement : Collection of Robert Spencer, Royal Academy of Music, Londres.

Facsimilé reproduit in : *Mauro Giuliani, cit.*

Rossiniana n° 4 opus 122

Manuscrit autographe : non localisé

Manuscrit non autographe : Milan, Conservatoire, Fonds Noseda M-15-7-3, sans date.

N.° Sei / Rossiniane / per Chitarra / Composte / Da / Mauro Giuliani / 4.ª / opera 122 / 3. [prix, à droite]

Première édition (1824)

Premiere [sic] / FANTAISIE / pour la Guitare seule / sur plusieurs motifs de Rossini / COMPOSÈE [sic] PAR / MAURO GIULIANI / OEUVRE 122. [n° écrit à la main] / Propriété des Editeurs. / N.ro 1667 [à gauche] / Pr 1 fl: Conv: M. [à droite] / VIENNE / Chez A. DIABELLI et COMP: / Graben N.ro 1133.

Emplacement : Bibliothèque royale, Copenhague

Facsimilé reproduit in: *Mauro Giuliani, cit.*

---

[16] Les unités monétaires en cours dans la Vienne de l'époque étaient : fl. (ou f.) = florin ; ou bien C.M. = Convention Münze (monnaie de convention). À Milan, pour l'opus 124 : f.cs = francs.

Rossiniana nº 5 opus 123

Manuscrit autographe : Rome, 1er octobre 1823; Vienne, Österreichische Nationalbibliothek, Mus. Hs. 35842; 6 ff.

Le / Rossiniane / per / Chitarra o Lira / Composte da / Mauro Giuliani / Opera 123 / mano propria / Roma 1° ottobre 1823

Manuscrit non autographe : Milan, Conservatoire, Fonds Noseda M-15-7-4, sans date.

N.° Sei / Rossiniane / per Chitarra / Composte / Da / Mauro Giuliani / 5.a / Opera 123. [à gauche] / 2¾ [prix, à droite]

Première édition (1824)

Seconde / FANTAISIE / pour la Guitare seule / sur plusieurs motifs de Rossini / COMPOSÈE [*sic*] PAR / Mauro Giuliani / Oeuvre 123. [nº écrit à la main] / Propriètè [*sic*] des Editeurs. / N.ro 1668 [à gauche] / Pr: 43 kr: Conv. M. [à droite] / VIENNE / Chez A. DIABELLI et Comp: / Graben N.ro 1133.

Emplacement : Bibliothèque royale, Copenhague.

Facsimilé reproduit in : *Mauro Giuliani, cit.*

Rossiniana nº 6 opus 124

Manuscrit autographe : non localisé

Manuscrit non autographe : Milan, Conservatoire, Fonds Noseda M-15-7-5, sans date.

N.° Sei / Rossiniane / per Chitarra / Composte / Da / Dal Sig. Mauro Giuliani / 6.a / Opera 124 / 2 ½ [prix, à droite]

Première édition (1828)

VI. / ROSSINIANA / per la Chitarra / Composte e Dedicate / A Sua Eccellenza / Il Signor Don Enrico Caetani / Duca di Sermonetta / da / MAURO GIULIANI / parte (aucune indication) / Op. 124. / Proprietà dell'Editore N. 2993. [à gauche] / Depos. All'I.R. Bibl.a Prezzo f.cs 2. [à droite] / MILANO. Presso Gio. Ricordi dirimpetto all'I. R. Teatro alla Scala / FIRENZE Presso Ricordi, Pozzi e c. / N.° 61

Emplacement : Collection of Alan Tyson, Londres

Facsimilé reproduit in : *Mauro Giuliani, cit.*

La confrontation entre les diverses sources ne révèle pas de différences majeures ; dans la plupart des cas, elle sert à repérer les imprécisions de copie, qu'on trouve dans tous les exemplaires. La vérification d'après les manuscrits autographes n'est possible que pour les *Rossiniane* opus 121 et 123 car il s'agit très certainement des manuscrits utilisés comme modèles pour graver les plaques des premières éditions, celles d'Artaria et de Diabelli respectivement. Concernant les quatre autres *Rossiniane* (opus 119, 120, 122, 124), à défaut des autographes, introuvables à ce jour, force est de recourir aux premières éditions ainsi qu'au manuscrit d'un copiste anonyme de cinq *Rossiniane*, conservé dans le Fonds Noseda à la Bibliothèque du Conservatoire Giuseppe Verdi de Milan ; la *Rossiniana* manquante est l'opus 121. À plusieurs reprises, on a cru identifier dans ce manuscrit un autographe de Giuliani ; or ce n'est manifestement pas un autographe, car la graphie est totalement différente de celle du guitariste de Bisceglie et elle emploie un système de notation musicale simplifiée sur le plan de la polyphonie, d'origine ancienne mais encore utilisé en Italie, que Giuliani avait abandonné depuis des années, ayant élaboré durant sa période viennoise un système plus précis.

Gustavo Adolfo Noseda (Milan, 1837-1866), compositeur et collectionneur, constitua durant sa brève existence une bibliothèque musicale d'une importance historique exceptionnelle, qu'il commença à rassembler durant un long séjour à Naples (1859-1863). Il se peut que les copies manuscrites des *Rossiniane*, actuellement conservées dans le Fonds Noseda à la bibliothèque du Conservatoire de Milan, aient été effectuées pour préparer les matrices servant à l'une ou l'autre des nombreuses imprimeries musicales que comptait la cité parthénopéenne. La mise en page des frontispices et la présence de certaines indications agogiques omises dans les premières éditions permettent d'avancer l'hypothèse vraisemblable que ces manuscrits sont des copies directement dérivées des autographes de Giuliani.

La présente édition

Cette édition se base sur des sources musicales contemporaines qui ont survécu jusqu'à nos jours. Les erreurs qu'ils contiennent ont été corrigées et on a ajouté des doigtés, omis dans les premières éditions, en conformité avec la technique de la guitare présentée par Giuliani dans son *Studio per chitarra* opus 1 et dans l'*Esercizio* opus 48. La seule exception a trait à la technique du pouce de la main gauche, difficile à appliquer sur la guitare actuelle en raison de son manche trop large : les passages concernés sont indiqués dans la partition par le signe * et on en propose une exécution sans l'usage du pouce gauche, ce qui, hormis dans la *Rossiniana* opus 122, n'altère pas le texte musical d'origine. Les rares doigtés originaux pour la main gauche sont signalés par des chiffres arabes en italique. Quant aux liaisons en pointillé, elles ont été ajoutées par l'éditeur de même que tous les éléments placés entre crochets.

En conclusion, il me faut mentionner qu'au fil du temps, depuis que j'ai commencé à m'occuper des *Rossiniane*, j'ai reçu des informations, des conseils et des aides, de diverse nature mais tous importants, de la part de Francesco Biraghi, Lucia Castellini, Ruggero Chiesa, Marta Crippa, Andrea De Vitis, Gianni Fidanza, Andrea Malnati, Ilaria Narici, Raffaele Pisano, Arrigo Quattrocchi et Marco Riboni. À tous j'adresse mes remerciements les plus vifs.

Notes pour l'interprétation

Interpréter un pot-pourri de nos jours

Deux attitudes sont possibles pour interpréter une composition instrumentale du passé. La première consiste à tenter d'exécuter à l'aide du bagage technico-culturel dont nous disposons actuellement le matériel parvenu jusqu'à nous à travers les sources musicales (éditions ou manuscrits) ; la seconde cherche à mettre en relation lesdites sources musicales avec tout ce que nous sommes en mesure de connaître aujourd'hui sur le bagage technico-culturel du compositeur et de ses contemporains.

Par rapport à d'autres genres instrumentaux, les sonates, par exemple, ou les pièces de caractère, les *Rossiniane* posent des problèmes inhabituels qu'il n'est pas toujours facile de résoudre. Ces partitions, en effet, reposent sur un concept de *reconnaissance* – le dessein de *rendre reconnaissable*, si l'on veut – certainement bien ancré dans l'esprit du compositeur ; en clair, il s'agit d'un genre qui, pour transmettre pleinement les intentions du compositeur a besoin de renvoyer de façon explicite celui qui interprète, d'abord, et ensuite celui qui écoute, à une expérience auditive vécue au préalable, à une sorte de *déja vu* musical ou, mieux, à un *déja entendu*.

Il est impensable, de nos jours, lors d'une exécution des *Rossiniane*, qu'un guitariste vise essentiellement à rendre reconnaissables les thèmes musicaux cités : le public actuel est, certes, bien plus vaste que celui des concerts de Giuliani, mais il est également beaucoup moins informé sur les opéras de Rossini et les auditeurs capables d'écouter une *Rossiniana* en activant tous les mécanismes de *déja entendu* évoqués ci-dessus ne constituent qu'une minorité fort restreinte. Mais l'interprète, quant à lui, ne peut pas faire abstraction de cet aspect, qui pour Giuliani représentait un fait acquis. Un interprète moderne des *Rossiniane* ne devrait donc pas s'en tenir à en faire une simple lecture, si brillante fût-elle sur le plan instrumental : au-delà de la reproduction textuelle de la partition, il lui faudrait s'attacher également à restituer l'esprit, le caractère expressif de la scène théâtrale dont dérive chaque citation.

Pour quelle raison affirmons-nous que Giuliani considérait la connaissance des originaux rossiniens comme allant de soi ? C'est que les partitions rédigées par Giuliani ne contiennent pas de renseignements suffisants pour décrypter toutes les références, et ce, tout simplement, parce qu'il les savait évidentes pour l'interprète de son temps.

Nous allons clarifier la question à l'aide de deux exemples.

Dans la *Rossiniana n° 1* opus 119, le premier thème, emprunté à l'*Otello*, est l'air de Desdemona [Desdémone] « Assisa appiè d'un salice », que Rossini introduit par un solo de harpe, singularité qui n'est pas sans rapport avec le choix de Giuliani d'inaugurer par cette citation le cycle des *Rossiniane* ; comme pour dire : un air à cordes pincées dès le départ.

Ci-dessous le texte de l'air, qui mérite la lecture (poème original italien à la page XXIX de cette édition). Les indications entre crochets indiquent les mesures qui correspondent chez Giuliani aux vers cités.

Aria
Assise au pied d'un saule,
plongée dans la douleur,
Isaura gémissait, transpercée
par l'amour le plus cruel, [mes. 68–76]
la brise plaintive parmi les branches
en répétait le son. [mes. 77–87]

Les ruisselets limpides
à ses ardents soupirs
mêlaient le murmure
de leurs tourbillons :
la brise plaintive parmi les branches
en répétait le son.

Saule, délice d'amour,
prépare une ombre bienveillante,
oublieuse de mes malheurs,
pour mon urne funeste ;
et que la brise ne répète plus
le son de mes plaintes.

Récitatif accompagné
Qu'ai-je dit !... Ah je me suis trompée ! Ce n'est pas celle de mon chant
cette fin lugubre. Écoute-moi... Oh Seigneur,
mais quel est donc ce vacarme ?
Quel présage funeste ! Ah non !
Je croyais que quelqu'un... Oh comme le ciel
se joint à mes plaintes...
Écoute la fin de mon triste chant.

Aria
Mais lasse à la fin de répandre
pleurs et tristes soupirs,
la vierge affligée mourut
las ! près de ce saule !
Mais lasse à la fin de pleurer
la vierge affligée mourut.
Elle mourut, quelle douleur ! L'ingrat... L'ingrat... [mes. 113–124]

Le cadre narratif est le suivant : dans sa chambre à coucher, en compagnie de sa fidèle confidente Emilia, Desdémone est anéantie : Othello est convaincu, à tort, qu'elle lui est infidèle et son père l'a rejetée, lui aussi. Au loin un gondolier chante les vers dantesques dédiés à Paolo et Francesca : « Nessun maggior dolore... ». S'accompagnant à la harpe, Desdémone chante alors une mélodie où elle évoque son amie Isaura, tuée par le chagrin (« Assisa appiè d'un salice »). Ensuite, elle congédie Emilia et adresse une prière au ciel (« Deh calma, o Ciel »).

On a donc affaire à une scène triste, voire désespérée et Rossini, comme à son ordinaire, crée une adhérence parfaite entre la musique et le texte. Le thème principal est présenté quatre fois et après la troisième on a un récitatif accompagné. Chaque reprise du thème comporte des variations tant chez Rossini que chez Giuliani, mais dans la transposition pour guitare le thème principal n'apparaît que trois fois, contre les quatre chez Rossini. L'idée des variations se trouve donc déjà chez Rossini et correspond dans la partition de Giuliani aux deux variations, la première en triolets de doubles croches et la seconde en groupes de quatre triples croches. Le dernier retour du thème est suivi chez Giuliani d'un passage qui semblerait n'être qu'une brillante transition faite d'arpèges en triples croches par groupes de quatre ; or il s'agit en réalité d'un fragment original de Rossini se rapportant aux vers « Morì l'afflitta vergine / Morì che duol! L'ingrato... L'ingrato... ». Le manuscrit de Giuliani ne fournit aucune indication sur le caractère de ces triples croches, mais il est clair qu'à faire de ce passage en arpèges un étalage de virtuosité contredit radicalement sa nature de complainte, accentuée par les demi-tons *si/do* et *la/si* bémol, qui caractérise les mesures 113–116. Dès lors, sans avoir à l'esprit le texte de l'original rossinien, il est impossible de saisir l'essence de la citation.

Un autre exemple éloquent est tiré de la *Rossiniana nº 5* opus 123, qui cite le sextuor de *Cenerentola* [*Cendrillon*] « Questo è un nodo avviluppato », Acte II. Voici l'incipit rossinien :

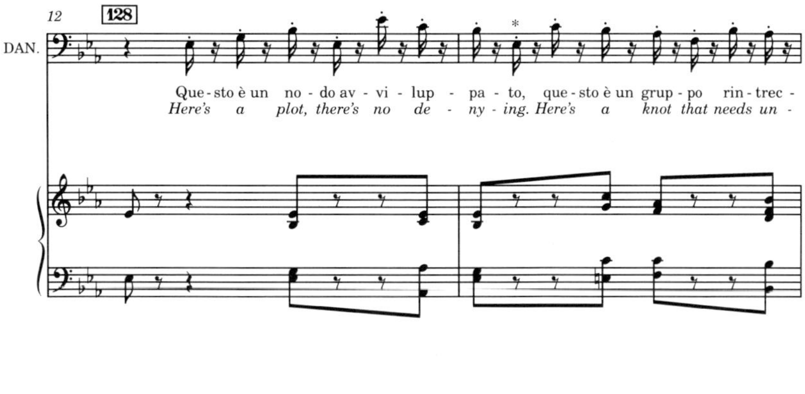

Le texte est le suivant (poème original italien à la page XXXI de cette édition):

Voilà un nœud embrouillé,
voilà un groupe enchevêtré.
Qui plus développe plus enveloppe,
qui plus dégroupe plus regroupe;
et entretemps ma tête
vole, vole et puis s'arrête;
j'avance à tâtons dans l'obscurité
et je commence à délirer.

C'est le moment qui précède le dénouement de l'intrigue et où les personnages parviennent au comble de la surprise et de la confusion. Le prince Ramiro et son valet, Dandini, arrivés inopinément dans la demeure de Don Magnifico à la suite d'un imprévu – leur carrosse s'est renversé pendant l'orage – sont stupéfaits de reconnaître dans l'humble servante la belle dame dont le prince est tombé amoureux lors d'une fête. Angelina, dite Cendrillon, est ébahie en découvrant que le simple valet dont elle s'est éprise à la fête est en réalité le prince en personne. Don Magnifico et ses filles – le beau-père et les demi-sœurs d'Angelina, qui la traitent en domestique – sont abasourdis de voir que le prince Ramiro, sans leur prêter la moindre attention, n'a d'yeux et d'intérêt que pour Cendrillon. D'où le branle-bas général, le «nœud embrouillé», le «groupe enchevêtré», où les personnages s'égarent, perdent leur assurance et du même coup leur individualité.

Rossini créé un entremêlement des six personnages, où ils chantent tous le même texte, staccato, en détachant chaque syllabe et en soulignant chaque apparition de la lettre «r» par un roulement appuyé, dont l'effet est aussi surprenant que comique.

Voici le passage pour guitare de Giuliani, qui omet toute indication à propos de l'articulation; si donc l'interprète ne connaît pas l'épisode théâtral, il risque de jouer legato, ce qui rendrait la citation pratiquement méconnaissable et en dénaturerait le sens:

Il nous faut en déduire que l'interprète se doit d'examiner avec attention ce dont, dans la simplification de son écriture, Giuliani se fait l'écho.

L'agogique

Dans le tableau qui suit nous proposons les indications agogiques originales de Rossini et celles de Giuliani qui y correspondent dans la *Rossiniana nº 1* opus 119:

Identification du passage	Agogique de Rossini	Agogique de Giuliani
Introduction	-	Andantino
Otello «Assisa appiè d'un salice» - Acte III	Adagio	-
L'italiana in Algeri «Languir per una bella» - Acte I	Andantino	Andante grazioso

L'italiana in Algeri «Ai capricci della sorte» - Acte I	Allegro vivace	Maestoso
L'italiana in Algeri « Pensa alla patria » - Acte II	Allegro	Moderato
Armida « Amor! Possente nome! » - Acte I	Allegro	Allegro vivace

La comparaison nous permet de mieux comprendre certaines indications de Giuliani. Pour la première citation rossinienne (« Assisa appiè d'un salice »), il ne donne aucun tempo, ce qui laisserait penser que celui de l'Introduction vaut également pour le thème rossinien. Mais l'écart entre Adagio et Andantino est important et les considérations sur la faible capacité de la guitare à prolonger le son par rapport aux voix et à l'orchestre ne suffisent pas à le justifier. D'autant plus que dans les citations successives on ne relève pas de divergence aussi frappante. En admettant que l'Andantino de l'Introduction doive concerner également l'épisode «Assisa appiè d'un salice», on y trouve peut-être une explication dans une lettre de Beethoven, datée de Vienne, 19 février 1813, à son éditeur d'Édimbourg, George Thomson. Ce dernier avait commandé au compositeur des airs sur des thèmes irlandais et Beethoven lui répondit en ces termes:

> Si à l'avenir il y avait parmi les airs que vous m'enverrez pour les arranger quelque Andantino, je vous prierais de me préciser si l'Andantino en question doit être considéré comme plus lent ou plus rapide que l'Andante, car ce terme, comme bien d'autres en musique, a un sens tellement incertain que parfois l'Andantino se rapproche de l'Allegro alors que dans d'autres cas on le joue comme un Adagio[1].

Même si cela ne correspond pas à ce qu'on enseigne aujourd'hui dans nos écoles de musique ou à ce qu'affiche l'échelle des valeurs imprimée sur les métronomes, il est probable qu'en l'occurrence il faille jouer la *Rossiniana nº 1* dès l'introduction dans un tempo résolument modéré, mais à la fois majestueux, ce qui rejoint le mouvement prévu par Rossini.

Les autres emprunts rossiniens ne posent pas de problèmes particuliers et, dès les deuxième et troisième citations, issues de *L'italiana in Algeri*, nous avons la confirmation du fait qu'en indiquant Maestoso ou Moderato, Giuliani entend Allegro maestoso et Allegro moderato.

La technique instrumentale

Dans sa première édition, Giuliani ne fournit aucun doigté, ni pour la main gauche ni pour la droite: c'était d'un usage courant à l'époque, car il allait de soi que, si on voulait jouer les partitions d'un certain compositeur, on en connaissait aussi les œuvres didactiques, méthodes et études, et que, de ce fait, on possédait toutes les notions utiles pour interpréter sa musique. Il n'en va plus de même aujourd'hui, où prévaut encore le concept, remontant au début du XXe siècle, d'une technique unique, adaptée à tous les répertoires. Cependant, depuis les années soixante du XXe siècle, on a vu s'affirmer progressivement des écoles d'interprétation basées sur une approche historiquement informée et se multiplier les exécutions sur des instruments originaux, ce qui a permis d'abandonner dans bien des cas l'idée d'une technique universelle en faveur d'une démarche plus ciblée. Dans cette optique, le cas de la musique pour guitare de Giuliani devient patent et il ne reste plus à ceux qui souhaitent la jouer sans recourir à des techniques anachroniques qu'à étudier consciencieusement ses ouvrages: *Metodo* opus 1 et *Esercizio* opus 48.

Un des principaux obstacles que la musique de Giuliani présente pour l'interprète actuel consiste en une différence dans la technique de la main gauche, à savoir l'usage du pouce, qui, passant derrière la touche, pouvait obtenir certaines notes en appuyant sur la sixième corde et même sur la cinquième. Cette technique, abondamment décrite dans plusieurs méthodes et fortement combattue par Fernando Sor, était applicable à l'époque en ce que les instruments avaient non seulement un corps plus petit mais surtout un manche plus étroit et, partant, des cordes plus rapprochées. De telles caractéristiques organologiques favorisaient l'utilisation du pouce gauche pour presser sur les cordes basses. Mais cela chan-

[1] Beethoven-Haus Bonn, HCB Br 258.

gea, entre la fin du XIXe et le début du XXe siècle, avec l'arrivée et la diffusion mondiale des guitares construites d'après le modèle d'Antonio Torres. Aujourd'hui, jouant d'un instrument moderne, force nous est de remplacer le pouce par d'autres doigts, ce qui presque toujours complique de beaucoup le doigté et crée des difficultés inattendues, qui n'étaient certainement pas dans les intentions de Giuliani.

Les gammes, qu'on rencontre par petits fragments dans toute la production de Giuliani, méritent un développement à part. Elles sont particulièrement élaborées dans les *Rossiniane*, principalement comme notes d'ornementation.

Dans la première *Rossiniana*, nous en trouvons des exemples mes. 56 de «Assisa appiè d'un salice», mes. 4 de «Languir per una bella» comme notes d'ornementation cadentielles, puis dans le rutilant finale mes. 91 de «Cara, per te quest'anima», ainsi que dans quantité de petits fragments tout au long de la composition. La tendance actuelle est de jouer toutes ces notes détachées, sans liaisons de la main gauche. Mais ce type d'articulation n'était pas jugé du meilleur goût par les guitaristes de l'époque. Notre conception moderne de l'étude des gammes est une invention très récente. Non pas que les gammes manquent dans les méthodes du XIXe siècle, mais leurs auteurs y voient un moyen pour étudier les différentes tonalités et leurs doigtés plus que des exercices de virtuosité. Remontant encore dans le temps, on constatera qu'aucun compositeur baroque ne présente de gammes qui ne soient parsemées de liaisons de la main gauche, souvent en grand nombre.

Observons ce qu'écrit Napoléon Coste dans la révision de la *Méthode* de son maître Fernando Sor, spécialement au chapitre intitulé «Considérations sur les traits et leur doigtés» (par *traits* il faut entendre, précisément, des passages brillants comme les gammes) :

> Il faut faire du détaché parce qu'il n'est pas d'exécution brillante sans cela, mais ne le considérez que comme un auxiliaire de la pensée musicale à laquelle il est appelé à donner du relief et du mordant. Un trait tout en notes détachées qui se prolongerait trop, serait plat et sec.

Ex: 22.
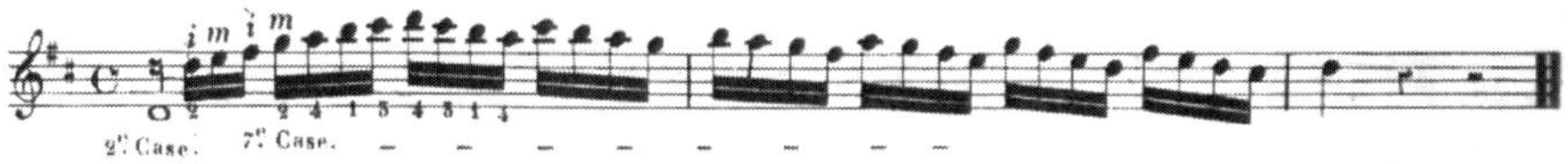

> Ce serait donc manquer de goùt [*sic*] que de ne le pas entremèler [*sic*] de notes liées. Voici comme il faudrait l'exécuter :[2]

Ex: 23.

Presque toutes les méthodes de l'époque présentent, à part les gammes pour l'étude des tonalités et de leur doigté, également des gammes à jouer avec des liaisons ; habituellement elles se trouvent placées dans les paragraphes consacrés aux liaisons, voire dans ceux qui traitent de l'ornementation, vieil héritage des livres en tablature pour guitare baroque, où la liaison n'était jamais décrite comme un expédient technique mais comme un ornement, un «agrément».

Même Giuliani dans son *Esercizio per la Chitarra contenente 24 Pezzi della maggiore difficoltà: Diversi Preludi, Passaggi, ed Assolo* opus 48 [*Exercice pour la guitare contenant 24 pièces de la plus grande difficulté : plusieurs préludes, des traits et des solos*], sorte de résumé de sa technique instrumentale, nous propose plusieurs études riches en gammes (quelques-unes tirées de certaines de ses œuvres majeures) comme les nos 4, 7, 9, 11, 16, 18, 22 et 23. Pas une où les gammes soient dépourvues de liaisons.

En voici un exemple :

No 11.

[2] Fernando Sor, *Méthode complète pour Guitare – Revue et augmentée de nombreux exemples avec une notice sur la septième corde par N. Coste*, Paris 1845, p. 21.

Dans des cas comme celui-ci, le guitariste moderne pourra décider d'en faire à sa guise et, s'il en a les moyens, omettre toutes les liaisons ; il lui faudra toutefois tenir compte du fait que les passages en gammes exigent une fluidité et une légèreté extrêmes pour ne pas sembler lourds et maladroits.

Enfin, il nous paraît utile de faire une brève allusion à l'utilisation des harmoniques artificiels dans l'Introduction de la *Rossiniana n° 1*. Nous avons là un récitatif très suggestif où l'alternance de sons harmoniques et de sons naturels entend imiter un récitatif accompagné par l'orchestre. Notons que c'est l'un des rarissimes endroits où Giuliani emploie des harmoniques artificiels et on serait tenté d'y voir l'influence de sa fréquentation avec Paganini, connu pour avoir donné un grand essor à cette technique au violon. En général, les guitaristes du début du XIXe siècle ne faisaient usage que des harmoniques naturels, hormis Fernando Sor qui adopte, dans la *Grande Sonata* opus 25 et dans la *Fantasia* opus 16, la technique « à double doigté » pratiquée également par Paganini.

> On peut aussi employer le procédé du Violon, consistant à poser le 1er doigt sur la note que l'on veut faire entendre (c'est-à-dire sur son octave basse), on étend ensuite le quatrième doigt jusqu'à la quarte de la note que l'on tient avec le 1er doigt, posez le doigt sur la corde à la touche supérieure de cette quarte, attaquez et votre son sera formé[3].

Le récitatif de la *Rossiniana n° 1* ne peut pas être joué avec cette technique car il faudrait disposer d'un *ré* dièse, que la guitare ne possède pas sans *scordatura* de la sixième corde. Ci-dessous, tirée de la *Méthode* de Sor dans la révision de Napoléon Coste, une description de la manière de réaliser les harmoniques à l'octave :

> On fait aussi des sons harmoniques à double doigté en posant les doigts comme d'habitude et en laissant toujours un intervalle de douze cases entre la main gauche qui pose les sons et l'index de la main droite qui les forme en se posant légèrement sur la corde tandis que le pouce l'attaque. On peut par ce moyen faire une suite de demi-tons, ce qui serait de toute impossibilité en employant la manière précédente »[4].

Cette technique est légèrement différente de celle qui prédomine aujourd'hui, où l'émission du son harmonique s'obtient par la combinaison index/annulaire plutôt qu'index/pouce.

Conclusion

Les observations que nous avons réunies ici et qui concernent à peine quelques exemples des problèmes posés par les *Rossiniane* n'ont aucune valeur prescriptive : n'importe quel guitariste doté d'une technique moderne bien formée est en mesure de jouer *Le Rossiniane* ainsi que tout le répertoire du début du XIXe siècle sans recourir aux techniques historiques. Nous estimons néanmoins qu'on ne peut faire un tel choix en toute conscience à moins de s'être interrogé au préalable sur les caractéristiques de l'instrument pour lequel ces œuvres ont été conçues et sur les circonstances de leur composition. L'adoption d'une technique, d'un doigté appartient à la sphère la plus personnelle de l'interprète, qui est un artiste accompli à condition seulement d'agir dans la plus stricte liberté ; or la liberté n'est véritablement telle que si elle est accompagnée de la connaissance.

Turin, 4 janvier 2021
Frédéric Zigante

[3] *Ibid.*, p. 43.
[4] *Ibid.*, p. 42.

Gioachino Rossini – Mauro Giuliani
Le Rossiniane

L'autore

Mauro Giuliani è considerato oggi, insieme al catalano Fernando Sor, il più importante chitarrista compositore del primo Ottocento, grazie all'imponente lavoro di ricerca e rivalutazione messo in opera, a partire dal 1971, dallo studioso statunitense Thomas Heck e successivamente da Ruggero Chiesa, Mario Torta, Marco Riboni e Gerhard Penn. Il progressivo rientro nel repertorio dei concertisti della musica di Giuliani – quasi dimenticata sul finire del XIX secolo e presente solo marginalmente nel repertorio dei grandi chitarristi del primo Novecento – è stato il risultato di questo impegno. Giuliani fu il più importante concertista di chitarra della sua epoca e la sua fama si espanse ben al di là del mondo degli appassionati di chitarra: fu un musicista completo e pienamente inserito nell'élite musicale della sua epoca. Nel settembre 1816, commentando un suo concerto, Carl Maria von Weber scrisse: "Le nostre aspettative erano grandi, grazie alla reputazione che precedeva l'Artista; ma è impossibile negare che l'esecuzione del signor Giuliani non solo le ha soddisfatte, ma le ha addirittura superate".[1]

Figlio di Michele Giuliani e Antonia Tota, Mauro Giuliani, il cui nome completo è Mauro Giuseppe Serio Pantaleo, nacque a Bisceglie, in Puglia, il 27 luglio 1781, ultimo di cinque figli. La famiglia Giuliani doveva essere benestante se poté assicurare ai figli un'adeguata educazione generale e musicale, tanto che due di essi si avviarono alla professione musicale: Mauro e il fratello maggiore Nicola, violinista, cantante e compositore che svolse la sua carriera in Russia e a Parigi. Poco si conosce sulla loro educazione musicale, ma si può attribuire un ruolo di una certa importanza a Gaetano Lucci, violoncellista e chitarrista napoletano che, in quanto fidanzato di Emanuela, sorella maggiore di Mauro, visse per un certo periodo in casa Giuliani. Quello che è certo è che Mauro ebbe una formazione musicale completa come chitarrista, violoncellista e compositore, cosa che emerge con chiarezza fin dalle prime opere. Tuttavia, egli si rese ben presto conto che in Italia essere musicisti senza essere operisti era praticamente impossibile, tanto la musica strumentale era trascurata a favore del melodramma. Decise quindi di tentare la fortuna, dopo un breve soggiorno a Trieste, trasferendosi a Vienna nel 1806 e presentandosi come artista "napoletano", qualifica niente affatto usurpata in quanto la Puglia faceva parte allora del Regno di Napoli. Vienna era indubbiamente una delle capitali europee più importanti sul piano musicale e per un virtuoso-compositore una presentazione pubblica accolta favorevolmente dalla critica rappresentava la consacrazione di una carriera internazionale. Rispetto alle migrazioni di altri chitarristi italiani del primo Ottocento, per i quali la destinazione preferita era infatti quasi sempre Parigi, dove la chitarra costituiva un vero e proprio fenomeno di moda, la scelta di Giuliani di risiedere stabilmente a Vienna, rimanendovi fino al 1819, fu molto felice e originale. Qui venne subito acclamato come il miglior chitarrista vivente; ciò gli permise di sviluppare tredici anni di intensa attività fatta di concerti privati e pubblici, lezioni e una feconda attività editoriale che lo vide collaborare con i maggiori editori viennesi, quali l'Imprimerie Chimique, Cappi & Diabelli, Steiner e Domenico Artaria. Aiutato anche da una notoria avvenenza – un commentatore scrisse: "L'elegante italiano, che è anche un uomo giovane e molto affascinante, un autentico Antinoo [...]" –[2] e da indubbie capacità di comunicazione, Giuliani seppe inserirsi nel ricco ambiente musicale viennese stringendo rapporti di amicizia e collaborazione con musicisti del calibro di Ludwig van Beethoven, dei pianisti Johann Nepomuk Hummel, Ignaz Moscheles, del violinista Josef Mayseder, dell'inventore di macchine musicali e da teatro Johann Nepomuk Maelzel; con ogni probabilità conobbe anche Franz Joseph Haydn e Franz Schubert. Il 3 aprile 1808 suonò per la prima volta il *Concerto* op. 30 per chitarra e grande orchestra, brano centrale della sua produzione: era la prima volta che la chitarra esacorde si confrontava con un'orchestra grande e fu un successo senza precedenti che portò ad altre numerose esecuzioni, una delle quali a Berlino, sotto la direzione di Carl Maria von Weber. L'8 e il 12 dicembre 1813 partecipò a due concerti celebrativi di tipo

[1] Diario di Weber, 2 ottobre 1816, citato in Marco Riboni, *Mauro Giuliani*, L'Epos, Palermo 2011.

[2] Da una lettera del 1810 di Johann Friedrich Reichardt citata in: Marco Riboni, *Mauro Giuliani*, L'Epos, Palermo 2011 e in: T.F. Heck, *Mauro Giuliani: virtuoso Guitarist and Composer*, Editions Orphee, Columbus 1995.

patriottico ai quali presero parte tutti i virtuosi in vista residenti a Vienna; il programma includeva la prima esecuzione della *Settima Sinfonia* in La maggiore op. 92 di Beethoven, che fu diretta dallo stesso autore; venne eseguita anche l'ouverture "La battaglia di Wellington" dello stesso Beethoven, nella quale i rumori della battaglia erano eseguiti con macchine di Maelzel.

Nel 1819, all'età di 38 anni, Giuliani interruppe bruscamente il soggiorno viennese con un repentino ritorno in Italia per evitare le conseguenze di un'ingiunzione giudiziaria causata da un debito e per allontanarsi dalle attenzioni dell'illiberale polizia viennese sulla sua vita privata, che pare fosse molto disinvolta. Si recò prima a Roma, dove soggiornò dal 1820 fino al 1823, e poi si stabilì a Napoli fino alla morte.

Il soggiorno romano fu caratterizzato da pochi concerti, da un'attività editoriale quasi nulla in loco (continuò invece a pubblicare per i suoi antichi editori viennesi e per Ricordi) e dalla constatazione che la vita musicale nella capitale dello Stato Pontificio era per lui priva di prospettive. Fu tuttavia proprio a Roma che Giuliani frequentò Gioachino Rossini e Niccolò Paganini. Il soggiorno a Napoli, città molto più vivace di Roma dal punto di vista musicale, dovette quindi apparire a Giuliani come una rinascita, anche se dalle sue lettere all'editore Domenico Artaria si può dedurre che non smise mai di rimpiangere Vienna e di progettare di ritornarvi. La sua salute tuttavia doveva essere già minata dalla malattia ignota che lo portò alla morte a soli 48 anni, nella notte tra il 7 e l'8 maggio 1829.

La produzione musicale di Giuliani include 230 opere di cui 150 numerate. Essa comprende soprattutto brani per chitarra sola, un cospicuo numero di brani da camera con violino, flauto, pianoforte o voce, e tre concerti per chitarra e grande orchestra. Le forme utilizzate sono le più consuete fra i musicisti europei dell'epoca: sonate, a volte dissimulate sotto altri titoli, variazioni, pezzi brevi o caratteristici come rondò, capricci, divertimenti, *pot-pourri* di derivazione operistica e, più raramente, popolare, e numerose raccolte di studi. Uno degli esiti più rilevanti dell'arte di Giuliani è costituita dai tre concerti op. 30, 36 e 70, da annoverare tra i primi esempi di un genere che ebbe un largo impiego nel XX secolo. Giuliani pagò anche un tributo al *rossinismo*, fenomeno di assimilazione stilistica largamente diffuso all'epoca, con i sei grandi *pot-pourri* monografici intitolati *Le Rossiniane* (op. 119–124), la *Grande Ouverture* op. 61 e alcune *Variazioni* come l'op. 114 basata su un tema di Michele Carafa, amico e collaboratore di Rossini. Mauro Giuliani fu inoltre autore di un importante metodo intitolato *Studio per la Chitarra* op. 1, tuttora ampliamente utilizzato.

Sul piano stilistico una prima lettura delle opere di Giuliani rivela la presenza di due anime, quella italiana e quella viennese. Seguendo le tracce della finalità o della destinazione dei brani si giunge a una classificazione puntuale e soddisfacente della sua produzione. Questo approccio metodologico, suggerito da Marco Riboni, porta appunto a distinguere all'interno della sua produzione lo stile galante viennese, Biedermeier, brillante, virtuosistico da un lato, dall'altro di derivazione italiana, influenzato dallo stile operistico e dalla sua vocalità, costituito da riduzioni e trascrizioni, alle quali si devono aggiungere le molte opere facili e ricreative di finalità anche didattica dell'ultimo periodo.[3]

Le Rossiniane

Le Rossiniane, pubblicate tra il 1821 e il 1828, sono una serie di sei *pot-pourri* interamente basati su musiche di Gioachino Rossini.

La definizione di *pot-pourri*[4] non si trova né nei due manoscritti autografi pervenuti e neanche nelle edizioni viennesi e italiane, pubblicate con l'autore ancora in vita. Venne tuttavia utilizzata da Giuliani stesso in una lettera datata Roma, 6 febbraio 1821 all'editore Giovanni Ricordi, nella quale proponeva di acquisire e di pubblicare un elenco di composizioni fra le quali figura un "Gran Pot-Pourri per chitarra, detto la Rossiniana, pezzo che mi servo ne miei concerti".[5] Probabilmente Giuliani usò questa de-

[3] M. Riboni, cit.

[4] Pot-pourri significa "vaso imputridito", calco dello spagnolo *olla podrida*. Il nome ha origini culinarie e si usa per un'opera letteraria o musicale composta dalla fusione di più pezzi diversi.

[5] La lettera è conservata a Londra nella Biblioteca privata di Robert Spencer (ora nella Royal Academy of Music) ed è riprodotta in facsimile in: *Mauro Giuliani, Rossiniana n. 1 for solo guitar, Op. 119*, edited and revised by Julian Bream, Faber Music Ltd, London 1979, due facciate non numerate. Si tratta di un collage tra la *Rossiniana* op. 119 e una sezione dell'op. 122.

finizione per convincere l'editore delle prospettive di successo commerciale che questo genere avrebbe garantito. Poche righe prima il virtuoso ne descriveva brevemente la genesi: "Durando il soggiorno che ho fatto a Roma ho procurato di scrivere de pezzi musicali di uno stile giammai conosciuto, oltre poi alla conoscenza particolare di Rossini, il quale mi ha favorito molti originali, onde tradurre tutto ciò che mi aggrada, conclusione: questa musica la vorrei pubblicare".

Durante il soggiorno romano Giuliani fu legato da amicizia conviviale con Rossini e Paganini. Di queste relazioni dà conto il Conestabile nella *Vita di Niccolò Paganini da Genova scritta ed illustrata da Giancarlo Conestabile socio di varie accademie* (Perugia, 1851), secondo il quale, nel periodo delle rappresentazioni di *Matilde di Shabran* di Rossini al Teatro Apollo, nella residenza romana del compositore "sempre erano congiunti al gran Pesarese, l'uno suonando la chitarra, l'altro il violino, i due sublimi ingegni dell'arte italiana, Giuliani cioè e Paganini".

Ne accenna anche il biografo di Giuliani, Filippo Isnardi, che nel 1836 scriveva: "tornava Mauro Giuliani da Vienna in Napoli, ardentissimo di ripatriare, ma giunto a Roma il 3 agosto del 1819 vi si fermò avendovi trovati i famosi Rossini e Paganini, con i quali diede divertimenti tanto celebrati che la loro unione fu denominata il Triumvirato musicale".[6] Il 24 febbraio 1821 Paganini diresse la prima rappresentazione di *Matilde di Shabran*, dato che si era ammalato il primo violino e maestro concertatore: forse non è un caso che in quest'opera sia contenuto un brevissimo solo di chitarra che, insieme alla celebre canzone del Conte "Se il mio nome saper voi bramate" nel *Barbiere di Siviglia*, costituisce tutto l'impegno che l'operista pesarese affidò allo strumento.

Dalla lettera di Giuliani a Ricordi, che pubblicò una *Rossiniana* soltanto nel 1828 (la sesta parte op. 124), si possono dedurre alcuni elementi importanti: il primo è che *Le Rossiniane* sono musica da concerto che Giuliani suonava in pubblico; il secondo è che Rossini non solo era al corrente del progetto che avrebbe portato il suo nome ma in qualche modo vi collaborò offrendo a Giuliani alcuni temi originali. Il terzo elemento da considerare è che Giuliani era consapevole che questi brani rappresentavano nella sua produzione e nel panorama musicale del tempo una novità, "di uno stile giammai conosciuto".[7]

Il genere del *pot-pourri* era tra i più diffusi nella letteratura strumentale del primo Ottocento. Consisteva nell'assemblaggio di alcuni temi musicali particolarmente accattivanti in un'unica composizione che si sviluppava senza soluzione di continuità. Vi erano diversi tipi di *pot-pourri* e i temi potevano essere di diversi autori[8] oppure di un solo autore (è il caso delle *Rossiniane*) e in quest'ultimo caso potevano anche essere estratti da un solo melodramma. Era un genere che, in mancanza dei mezzi moderni di riproduzione della musica, aveva una funzione importantissima per portare all'interno delle case musica il più delle volte nata per il teatro. Ma era proprio il carattere divulgativo e commerciale di gran parte dei *pot-pourri* a inficiarne il valore artistico: la necessità di fornire materiali di non eccessiva difficoltà esecutiva unita all'immediata facilità di ascolto riducono spesso ai minimi termini il contributo dell'autore del *pot-pourri*, anche in caso di compositori dalle capacità creative ben superiori.[9] La natura

[6] Filippo Isnardi, *Cenni biografici intorno a Mauro Giuliano* [*sic*] in «L'Omnibus», foglio periodico, IV/3, Napoli 30 aprile 1836, cit. in: Thomas Heck, *Giuliani in Italia* in «Il Fronimo», II/luglio 1974, p. 16.

[7] In una lettera del 23 luglio 1822, indirizzata a Domenico Artaria, Giuliani scriveva: "Bramerei sapere se in seguito desiderate avere esemplari dell'opera, *Le Rossiniane*, poiché conto di andare fino al numero 12, o 18". Questo progetto non ebbe seguito. La lettera è conservata a Vienna, nella Wiener Stadt-und Landesbibliothek. Handschriftensammlung, collocazione J.N. 69733.

[8] Mauro Giuliani non era nuovo a questo genere di composizioni: egli aveva infatti pubblicato, prima delle *Rossiniane*, altri sei *pot-pourri* presentati come tali anche nel titolo: *1er Pot-Pourri pour la guitarre* [*sic*] op. 18 (Artaria, Vienna 1808), *Pot-Pourri pour la guitarre* op. 26 (Imprimerie Chimique, Vienna 1810), *Second Pot-Pourri pour la guitarre* op. 28 (Artaria, Vienna 1811), *3ème Grand Pot-Pourri pour la guitarre* op. 31 (Artaria, Vienna 1811), *4ème Pot-Pourri pour la guitarre* op. 42 (Artaria, Vienna 1814) e *Pot-Pourri Nazionale Romano per Lira o chitarra sola* op. 108 (Ricordi, Milano 1823) basato su canzoni romane in voga all'epoca. Questi *pot-pourri* non sono basati su temi di un solo autore, come nelle *Rossiniane*, ma includono citazioni di autori molto differenti e, nel caso del sesto, anche musiche di carattere locale. Giuliani vi elabora il materiale preesistente con la consueta maestria riuscendo a renderlo chitarristicamente idiomatico e di grande impatto; tuttavia essi si configurano come un ossequio ad una tradizione e nascono con una finalità commerciale.

[9] È il caso, per fare un esempio, di Ferdinando Carulli (1770-1841), autore anche lui di *pot-pourri* dedicati a Rossini, i cui titoli illustrano ampiamente il programma dell'autore: *Les Pensées de Rossini ou Choix de ses plus jolis Motifs arrangés en caprice pour la guitare*, oppure *Rossini à la portée des Commencants ou DEUX CAPRICES sur le Motifs les plus heureux de ce Célèbre Auteur d'une exécution très facile pour la guitare*, oppure ancora *Fantaisie avec variations sur les plus jolis Motifs de La Donna del Lago de ROSSINI, composée pour la Guitare*. Si tratta, in tutti i casi, di brevi frammenti tematici intercalati da alcune variazioni strumentali e con transizioni da un *"joli motif"* brevissime e molto convenzionali.

di collage del *pot-pourri* e il fatto che si basi quasi sempre su materiale tematico preesistente ne ha fatto un genere che con l'avanzare del XIX secolo è stato considerato con sospetto e diffidenza, quasi privo di dignità e identità artistica. Se questo atteggiamento si giustifica anche di fronte ad una sommaria lettura di gran parte dei *pot-pourri* dell'epoca,[10] non si può tacere il fatto che, nelle mani di artisti di maggiore spessore, il genere abbia raggiunto punte qualitative di grande rilievo. Sarà sufficiente ricordare il contributo di Franz Liszt con le sue parafrasi che, per originalità e ricchezza, assurgono al rango di opera d'arte compiuta se non addirittura a quello di capolavoro.

Non mi pare dunque improprio fare una distinzione fra *pot-pourri* destinati a una fruizione di basso profilo e *pot-pourri* che oggi definiremmo "da concerto", cioè destinati a virtuosi quale Giuliani stesso era. In questo senso nel repertorio chitarristico le *Rossiniane* rappresentano una vetta mai raggiunta da altri autori. Di questa distinzione probabilmente erano perfettamente coscienti anche gli editori che stamparono per primi *Le Rossiniane*, nell'ordine Artaria, Diabelli e Ricordi che – nessuno escluso – si astennero dall'usare il termine *pot-pourri* o altri titoli evocativi. Diabelli arrivò persino a modificare i titoli assegnati da Giuliani, ascrivendo le *Rossiniane* parte IV op. 122 e parte V op. 123 al genere delle fantasie. Altro elemento non privo di peso per la considerazione che gli editori ebbero delle *Rossiniane* fu il prezzo di vendita piuttosto elevato stabilito nei frontespizi, segno che attesta l'importanza di queste composizioni.

"[...] uno stile giammai conosciuto"

Sarebbe limitativo cercare una spiegazione allo stile, secondo le parole di Giuliani, "giammai conosciuto" solo nella destinazione concertistica delle *Rossiniane* o nel loro carattere monografico o ancora negli aspetti formali, certamente originali e inediti per un *pot-pourri*. Si noti come la produzione chitarristica di Giuliani, al suo ritorno in Italia, acquisì una maggiore ricchezza di suono e una scrittura più varia, meno basata su schemi fissi, secondo quanto avveniva invece nel periodo viennese. Questa evoluzione fu il risultato di un lungo ed approfondito lavoro del compositore su un materiale preesistente, quasi sempre ascrivibile a Rossini, che non rispondeva quindi a una logica strumentale e chitarristica. La straordinaria capacità di Giuliani nel realizzare in termini chitarristici idiomatici qualunque idea musicale, capacità che emerge nelle sue trascrizioni,[11] gli diede l'occasione di creare un nuovo stile chitarristico, appunto, "giammai conosciuto".

Le citazioni rossiniane si possono dividere in tre generi. Il primo è quello delle *citazioni principali*, cioè idee musicali che aprono un'aria o un pezzo chiuso: sono una trentina e sono state identificate da Stefano Castelvecchi in un saggio del 1986.[12] Si tratta di citazioni piuttosto ampie, come quella della cavatina di Ninetta dal primo atto della *Gazza ladra* nella *Rossiniana* parte II op. 120, esposta due volte con tanto di fioriture scritte per esteso.[13]

[10] Non molto diverso negli esiti fu un progetto molto simile di Emilia Giuliani (1813-1850) che, tra il 1834 e il 1836, pubblicò presso Ricordi sei *pot-pourri* intitolati *Belliniana*, non concepiti come un ciclo, con i numeri d'opera 2, 4, 6, 7, 8, 11 e derivati da materiale tematico di Vincenzo Bellini.

[11] Molte delle quali sono rossiniane, come le ouverture di *Cenerentola* e *Semiramide*, e diversi altri numeri di quest'ultima pubblicati senza numero d'opera per chitarra sola da Artaria, Ricordi e Girard durante l'ultimo soggiorno italiano di Giuliani. Ricordi pubblicò postume nel 1830 anche quattro ouverture rossiniane trascritte per due chitarre da *Elisabetta, regina d'Inghilterra*, *La Cenerentola*, *L'assedio di Corinto* e *La gazza ladra*.

[12] Stefano Castelvecchi, *Le Rossiniane di Mauro Giuliani*, in «Bollettino del Centro rossiniano di studi», 1986 1-3, Fondazione Rossini, Pesaro, pp. 33–71. Nel 1976 –77 Ruggero Chiesa ha curato un'edizione in tre volumi delle prime tre *Rossiniane* (op. 119–121) nella quale ha presentato un approfondito lavoro di identificazione degli originali rossiniani. Nel 1990–91 Chiesa ha pubblicato le tre rimanenti *Rossiniane* op. 122–124. Il lavoro di Chiesa rappresenta il massimo impegno editoriale moderno dedicato alle *Rossiniane*. Altri contributi moderni sono dovuti a Thomas Heck e Brian Jeffrey che hanno curato due edizioni in facsimile del ciclo, Julian Bream, Carlo Carfagna e Fabio Rizza che hanno pubblicato delle moderne revisioni. Abbiamo già segnalato che l'edizione pubblicata da Julian Bream con il titolo *Rossiniana n. 1* sia un collage tra gran parte dell'op. 119 e una sezione dell'op. 122. Per quanto l'approccio di Bream (un collage tratto da due collage) sia discutibile, bisogna riconoscere che la conoscenza dell'esistenza delle *Rossiniane* nel XX secolo e il loro ritorno stabile nel repertorio devono molto al celebre interprete britannico.

[13] Di grande interesse risultano essere le presentazioni di motivi rossiniani che Giuliani fiorisce secondo la prassi vocale diffusa all'epoca di cui si trova testimonianza nei più noti trattati di canto del tempo. Il più noto fra questi, il *Traité complet de l'art de chant* di Manuel Garcia figlio (Paris, 1847), contiene tra gli esempi musicali quasi la metà dei motivi usati da Giuliani nelle *Rossiniane*.

I temi principali adoperati da Giuliani in ogni *Rossiniana* sono cinque, con l'eccezione della 6ª parte (op. 124) che ne ha 4 e la 5ª parte (op. 123) che ne ha 6.[14] Le identificazioni non tanto dei temi ma dei melodrammi di provenienza sono indicate nei due manoscritti pervenuti (op. 121 e 123) dallo stesso Giuliani, mentre troviamo indicazioni analoghe soltanto nelle edizioni della 3ª parte (op. 121) e della 6ª parte (op. 124): evidentemente gli editori di Giuliani non diedero molta importanza a questo aspetto.

Il secondo tipo di citazioni riguarda brevissimi frammenti tratti da temi secondari, usati dallo stesso Rossini come elementi di collegamento. Un esempio stringatissimo è quella di sole tre battute orchestrali tratte dalla *Cenerentola* che chiudono l'Introduzione della *Rossiniana* op. 121 terza parte.

Parte orchestrale, Scena e Duetto "Un soave non so che", *La Cenerentola*, Atto I (Cenerentola - Don Ramiro).

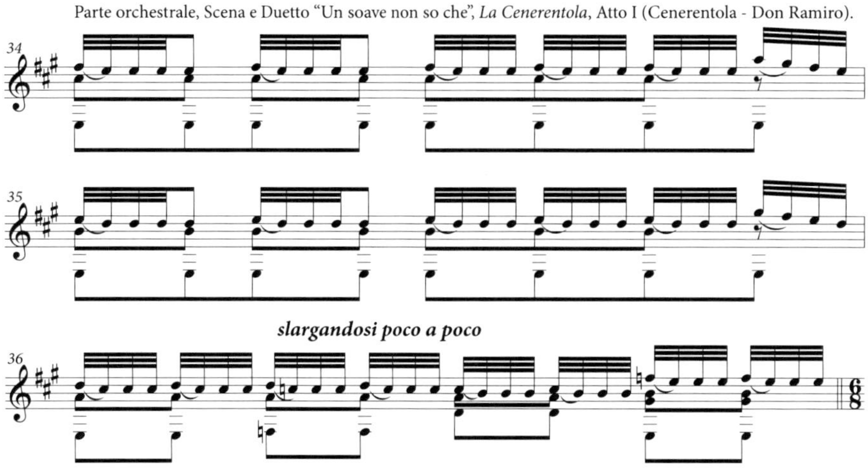

Segnalo altri due esempi significativi di questo secondo genere di citazioni.

Il primo è costituito dalle battute 23-35 della *Rossiniana* op. 122 quarta parte:

Di notevole interesse il fatto che questo frammento sia stato utilizzato dallo stesso Rossini sempre con finalità di collegamento in diverse opere e in diverse situazioni: lo si trova per la prima volta nel 1808 in un saggio scolastico, la cantata *Il pianto d'Armonia per la morte di Orfeo*, per poi transitare in opere molto diverse come *La pietra di paragon*e (1812), *L'occasione fa il ladro* (1812) *Il barbiere di Siviglia* (1816), in *Mosè in Egitto* (1818) e nel suo rifacimento francese *Moïse et Pharaon* (1827).

Anche nei finali, occasioni per un dispiegamento virtuosistico eccezionale, compare la mano di Rossini come, per esempio, nel vorticoso finale della *Rossiniana* op. 124 parte sesta, tratto dall'Ouverture di *Semiramide*.

---

[14] Vi è una sola eccezione alla presenza autorale di Rossini: si tratta, nella *Rossiniana* op. 120, del secondo tema principale (Allegretto innocente) che è tratto dall'*Armida*, atto I "Arditi all'ire" (Goffredo). In realtà è una cavatina dal titolo "Nume perdonami, se in tale istante" di Pietro Generali (1773-1832), tratta dall'opera *I baccanali di Roma* (rappresentata la prima volta a Venezia nel 1815) che Rossini riprese nell'*Armida* (rappresentata la prima volta a Napoli nel 1817). È molto difficile che Giuliani non fosse a conoscenza del vero autore del brano se nel 1819 diede alle stampe a Vienna per Cappi & Diabelli le *Variazioni* op. 102, attribuendo la "Cavatina favorita" al "Sigr. Pietro Generali".

Sinfonia, *Semiramide.*

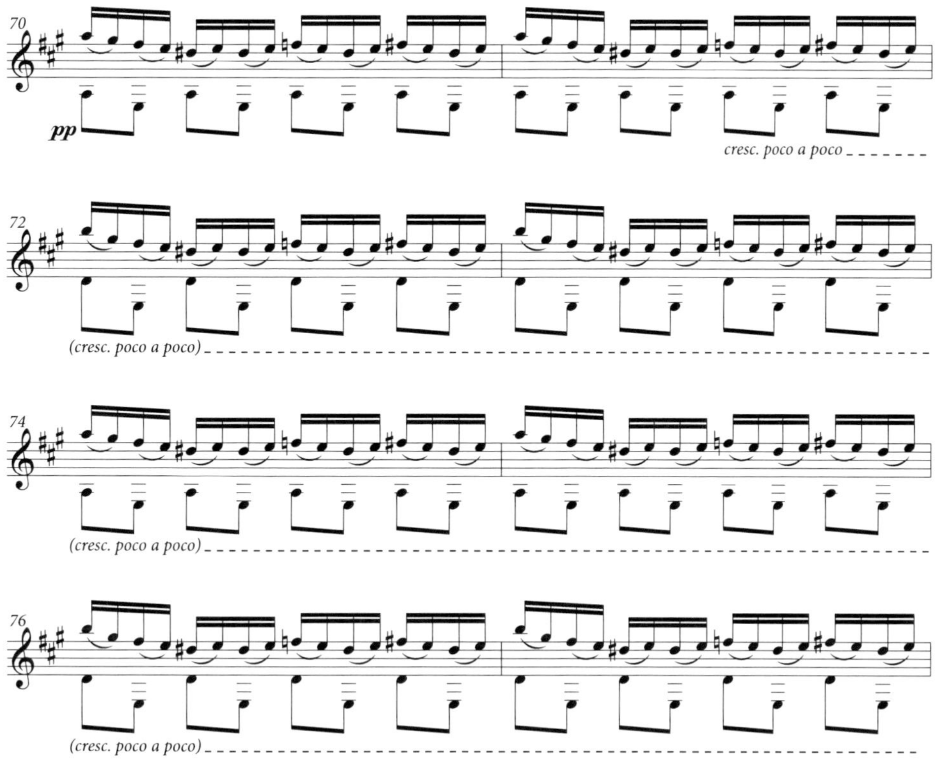

Un terzo tipo di citazione si potrebbe definire "imitativa": in essa Rossini non è citato letteralmente ma è semplicemente richiamato in alcuni suoi gesti musicali tipici. Per esempio, nei collegamenti tra un tema e l'altro, Giuliani fa uso frequente del *crescendo* che ricalca, pur in una struttura formalmente limitata dalle più contenute possibilità dinamiche della chitarra rispetto all'orchestra, tutti gli elementi del modello rossiniano (4 battute, T/D/T/D dinamica ***p*** + 4 battute, T/D/T/D dinamica *crescendo* + 4 battute, T/D/T/D dinamica ***ff***, con movimento armonico che alterna tonica/dominante sul quale si ripetono gli incisi melodici). A questo tipo di citazione imitativa appartiene per esempio gran parte dell'Introduzione della *Rossiniana* op. 124 sesta parte, nella quale secondo Arrigo Quattrocchi:

> [Giuliani] sembra alludere in più punti, nelle prime trentuno battute, a colori orchestrali (legni e ottoni), usa poi, dalla trentaduesima, un inciso di semicrome che deriva dall'*Italiana in Algeri* (duetto "Se inclinassi a prender moglie") e inserisce quindi alla quarantatreesima un ritmo ribattuto che deriva dall'Ouverture di *Semiramide* e che prepara, insieme al seguente "tema dell'ombra", il vasto episodio che si richiama a quell'opera.[15]

[15] Arrigo Quattrocchi, *Esercizi di memoria*, a cura di Daniela Macchione e Alessandra Quattrocchi, Il Saggiatore, Milano 2017, pp. 163-174.

Malgrado questa imponente presenza di materiale rossiniano, i passi originali di Giuliani sono numerosi e consistono in alcune Introduzioni, piuttosto ampie nell'economia delle *Rossiniane*, nei passaggi di collegamento, nelle variazioni, e in gran parte dei brillanti finali.

Che Mauro Giuliani si identificasse perfettamente con lo stile di Rossini è cosa evidente già in diverse composizioni precedenti, come la *Grande Ouverture* op. 61, in alcuni temi con variazioni, oppure nelle *Ariette* op. 95 per voce e chitarra, ma soltanto nelle *Rossiniane* Giuliani raggiunge risultati di osmosi e di coerenza stilistica così compiuti. Questo perché Giuliani, oltre a citare materiali tematici completi dal Pesarese, ne acquisisce anche alcuni stilemi compositivi: un fenomeno ben noto all'epoca sotto il nome di *rossinismo.*

Giuliani è poi molto attento nella scelta dei temi principali (sempre di carattere contrastante nell'ambito della stessa *Rossiniana*) e si rivela capace di cogliere non solo l'essenza squisitamente melodica delle opere di Rossini ma anche la loro teatralità, trasformando questi brani in una sorta di atti d'opera miniaturizzati in una dimensione chitarristica di grande pertinenza strumentale e di efficace organizzazione agogica.

Fonti

Le Rossiniane, Parte I op. 119

Manoscritto autografo: non localizzato

Manoscritto non autografo: Milano, Conservatorio Giuseppe Verdi, Fondo Noseda M-15-7-1, senza data.

N.° Sei / Rossiniane / per Chitarra / Composte / Da / Mauro Giuliani / 1.ª / opera 119 / 3 [prezzo a des.]

Prima edizione (1821)

LE ROSSINIANE / per la Chitarra / Composte e Dedicate / A Sua Eccellenza / Il Signor Don Enrico Caetani / Duca di Sermonetta / da/ MAURO GIULIANI / 1 parte / Op. 119. [num. scritto a mano] / Publicate / a Vienna da Artaria e Compag. / N° 2662. 2718. [a sin.] / Pr. .1fl – C.M.[16]

Collocazione: Collection of Robert Spencer, Royal Academy of Music, London.

Facsimile riprodotto in: *Mauro Giuliani. The complete works in facsimiles of the original editions*, vol. 13, edited by Brian Jeffrey, Tecla Editions, London, 1986.

Le Rossiniane, Parte II op. 120

Manoscritto autografo: non localizzato

Manoscritto non autografo: Milano, Conservatorio Giuseppe Verdi, Fondo Noseda M-15-7-2, senza data.

N.° Sei / Rossiniane / per Chitarra / Composte / Da / Mauro Giuliani / 2.da / opera 120. / 2¾ [prezzo, a des.]

Prima edizione (1822)

LE ROSSINIANE/ per la Chitarra / Composte e Dedicate / A Sua Eccellenza / Il Signor Don Enrico

[16] Le unità di valuta nella Vienna dell'epoca erano: fl. (o f.) = florin (fiorino) oppure C.M. = Convention Münze (moneta di convenzione). A Milano, per l'op. 124: f.cs = francs.

Caetani / Duca di Sermonetta / da/ MAURO GIULIANI / II parte / Op. 120 [num. scritto a mano] / Publicate/ a Vienna da Artaria e Compag. / N° 2662. 2718. [a sin.]

Collocazione: Conservatory of Music, Oslo.

Facsimile riprodotto in: *Mauro Giuliani, cit.*

Le Rossiniane, Parte III op. 121

Manoscritto autografo, senza data, senza luogo; Berlino, Staatsbibliothek Preussischer Kulturbesitz, Mus. Ms. 7660/1; 8 cc.

Le / Rossiniane / per / Chitarra / Composte e Dedicate / A Sua Eccellenza / Il Signor Don Enrico Caetani / Duca di Sermoneta / da / Mauro Giuliani / Parte Terza / Opera 121 / N° 2769

Manoscritto non autografo: il Fondo Noseda del Conservatorio di Milano non conserva l'Op. 121.

Prima edizione (1822)

LE ROSSINIANE/ per la Chitarra / Composte e Dedicate / A Sua Eccellenza / Il Signor Don Enrico Caetani / Duca di Sermonetta / da / MAURO GIULIANI / 3ª parte / Op. 121. [num. scritto a mano] / Publicate / a Vienna da Artaria e Compag. / N° 2662. 2718. [a sin.]

Collocazione: Collection of Robert Spencer, Royal Academy of Music, London.

Facsimile riprodotto in: *Mauro Giuliani, cit.*

Le Rossiniane, Parte IV op. 122

Manoscritto autografo: non localizzato

Manoscritto non autografo: Milano, Conservatorio, Fondo Noseda M-15-7-3, senza data.

N.° Sei / Rossiniane / per Chitarra / Composte / Da / Mauro Giuliani / 4.ª / opera 122 / 3. [prezzo, a des.]

Prima edizione (1824)

Premiere [*sic*] / FANTAISIE / pour la Guitare seule / sur plusieurs motifs de Rossini / COMPOSÈE [*sic*] PAR / MAURO GIULIANI / OEUVRE 122. [num. scritto a mano] / Propriètè des Editeurs. / N.ro 1667 [a sin.] / Pr 1 fl:_ Conv: M. [a des.] / VIENNE / Chez A. DIABELLI et COMP: / Graben N.ro 1133.

Collocazione: Royal Library, Copenhagen,

Facsimile riprodotto in: *Mauro Giuliani, cit.*

Le Rossiniane, Parte V op. 123

Manoscritto autografo: Roma, 1 ottobre 1823; Vienna, Österreichische Nationalbibliothek, Mus. Hs. 35842; 6 cc.

Le / Rossiniane / per / Chitarra o Lira / Composte da / Mauro Giuliani / Opera 123 / mano propria / Roma 1° ottobre 1823

Manoscritto non autografo: Milano, Conservatorio, Fondo Noseda M-15-7-4, senza data.

N.° Sei / Rossiniane / per Chitarra / Composte / Da / Mauro Giuliani / 5.ª / Opera 123. [a sin.] / $2^{3/4}$ [prezzo, a des.]

Prima edizione (1824)

Seconde / FANTAISIE / pour la Guitare seule / sur plusieurs motifs de Rossini / COMPOSÈE [*sic*] PAR / Mauro Giuliani / Oeuvre 123. [num. scritto a mano] / Propriètè [*sic*] des Editeurs. / N.ro 1668 [a sin.] / Pr: 43 kr: Conv. M. [a des.] / VIENNE / Chez A. DIABELLI et Comp: / Graben N.ro 1133.

Collocazione: Royal Library, Copenhagen.

Facsimile riprodotto in: *Mauro Giuliani, cit.*

Le Rossiniane, Parte VI op. 124

Manoscritto autografo: non localizzato

Manoscritto non autografo: Milano, Conservatorio, Fondo Noseda M-15-7-5, senza data.

N.° Sei / Rossiniane / per Chitarra / Composte / Da / Dal Sig. Mauro Giuliani / 6.ª / Opera 124 / $2^{1/2}$ [prezzo, a des.]

Prima edizione (1828)

VI. / ROSSINIANA / per la Chitarra / Composte e Dedicate / A Sua Eccellenza / Il Signor Don Enrico Caetani / Duca di Sermonetta / da / MAURO GIULIANI / parte (nessuna indicazione) / Op. 124. / Proprietà dell'Editore N. 2993. [a sin.] / Depos. All'I.R. Bibl.a Prezzo f.cs 2. [a des.] / MILANO. Presso Gio. Ricordi dirimpetto all'I. R. Teatro alla Scala / FIRENZE Presso Ricordi, Pozzi e c. / N.° 61

Collocazione: Collection of Alan Tyson, London

Facsimile riprodotto in: *Mauro Giuliani, cit.*

Il confronto tra i vari testimoni non rivela differenze sostanziali e nella maggior parte dei casi è utile a mettere in chiaro alcune imprecisioni di copiatura presenti in tutte le copie. Il riscontro sui manoscritti autografi è possibile solo per le *Rossiniane* op. 121 e 123: certamente si tratta dei manoscritti utilizzati per la preparazione delle lastre delle prime edizioni rispettivamente di Artaria e Diabelli. Per le altre quattro *Rossiniane* (op. 119, 120, 122, 124) in mancanza degli autografi, ad oggi non reperibili, si è costretti a ricorrere alle prime edizioni e al manoscritto di copista anonimo di cinque *Rossiniane* conservate presso il Fondo Noseda nella Biblioteca del Conservatorio "Giuseppe Verdi" di Milano: la *Rossiniana* mancante è l'op. 121 (terza parte). Questo manoscritto è stato più volte identificato erroneamente come autografo di Giuliani: non si tratta certamente di un autografo poiché la scrittura è completamente differente da quella del chitarrista pugliese e presenta una grafia strumentale, semplificata sul piano della polifonia delle voci, di origine antica ma ancora in uso in Italia, che Giuliani aveva da anni abbandonato stabilendo, nel periodo viennese, un modello più completo. Gustavo Adolfo Noseda (Milano, 1837–1866), compositore e bibliofilo musicale, raccolse nella sua breve vita un fondo musicale di straordinaria importanza storica che si formò inizialmente durante un lungo soggiorno a Napoli (1859–1863). È possibile che la copia manoscritta delle *Rossiniane*, ora conservata nel Fondo Noseda della biblioteca del Conservatorio di Milano, fosse stata preparata per servire da matrice a una delle numerose copisterie musicali operanti nella città partenopea. L'impostazione dei frontespizi e la presenza di alcune indicazioni agogiche assenti nelle prime edizioni rendono plausibile l'ipotesi che questi manoscritti siano copie direttamente derivate dagli autografi di Giuliani.

La presente edizione

Questa edizione si basa sui testimoni musicali coevi sopravvissuti fino ai nostri giorni. Sono stati emendati errori dei testimoni e aggiunta la diteggiatura, omessa nelle prime edizioni e coerente con la tecnica della chitarra presentata da Giuliani nel suo *Studio per chitarra* op. 1 e nell'*Esercizio* op. 48. L'unica eccezione riguarda la tecnica del pollice della mano sinistra, tecnica di difficile applicazione sulla chitarra odierna per il manico troppo largo: questi passaggi sono segnalati nella partitura dal segno * e ne viene proposta una realizzazione senza uso del pollice sinistro che, con la sola eccezione nella *Rossiniana* op. 122, non altera comunque il testo musicale originale. Le rare diteggiature originali per la mano sinistra sono indicate con numeri arabi in corsivo. Le legature punteggiate sono aggiunte dal curatore così come ogni elemento riportato in parentesi quadra.

Per concludere, è doveroso aggiungere che informazioni, consigli e aiuti di varia natura, ma tutti importanti, sono stati forniti nel tempo, da quando iniziai a occuparmi delle *Rossiniane*, da Francesco Biraghi, Lucia Castellini, Ruggero Chiesa, Marta Crippa, Andrea De Vitis, Gianni Fidanza, Andrea Malnati, Ilaria Narici, Raffaele Pisano, Arrigo Quattrocchi e Marco Riboni. A tutti va il mio più sentito ringraziamento.

Note sull'interpretazione

Interpretare oggi un *pot-pourri*

Nell'interpretare un brano strumentale del passato sono possibili due atteggiamenti. Il primo comporta la presa d'atto e il tentativo di realizzare con l'ausilio del bagaglio tecnico-culturale di cui attualmente disponiamo gli elementi giunti attraverso i testimoni musicali (edizioni o manoscritti); il secondo cerca di mettere in relazione i testimoni musicali a noi pervenuti con tutto ciò che possiamo conoscere oggi del bagaglio tecnico-culturale dell'autore e dei suoi contemporanei.

Rispetto ad altri generi strumentali, per esempio sonate o pezzi caratteristici, le *Rossiniane* pongono problemi inusuali e di non sempre facile soluzione. Alla base di queste composizioni c'è infatti il concetto sicuramente presente nella mente del compositore di riconoscibilità, ovvero si tratta di un genere che per esprimere compiutamente le intenzioni dell'autore ha bisogno di rimandare inequivocabilmente prima l'interprete e poi l'ascoltatore a un'esperienza auditiva precedentemente vissuta, una sorta di *déja vu* musicale o, meglio, un *déja entendu*.

Oggi è impensabile puntare in un'esecuzione delle *Rossiniane* alla pura riconoscibilità tematica: il pubblico odierno è, sì, molto più vasto di quello dei concerti di Giuliani ma certo è molto meno informato sulla produzione operistica di Rossini e sono una minoranza molto esigua coloro che possono ascoltare una *Rossiniana* mettendo in moto tutti quei meccanismi di *déja entendu* sopra accennati. L'interprete, tuttavia, non può prescindere da questo dato che per Giuliani era scontato. Un interprete moderno delle *Rossiniane* non dovrebbe dunque farne una semplice lettura, pur strumentalmente brillante, ma dovrebbe impegnarsi nel riprodurre, oltre che la lettera del testo chitarristico, lo spirito, il carattere espressivo della scena teatrale da cui il passaggio deriva.

Per quale ragione affermiamo che Giuliani desse per scontata la conoscenza degli originali rossiniani? Perché il testo chitarristico approntato da Giuliani non contiene sufficienti informazioni per decriptare tutti i riferimenti che egli, evidentemente, dava per acquisiti da parte dell'interprete.

Chiariremo il concetto con due esempi.

Nella *Rossiniana n. 1* op. 119 il primo tema rossiniano è tratto dall'*Otello*, l'aria di Desdemona "Assisa appiè d'un salice" dove la scena è introdotta da un intervento solistico dell'arpa, cosa non estranea alla scelta di Giuliani di iniziare con questo brano il ciclo delle *Rossiniane*: è un'aria, per così dire, a corde pizzicate già in origine.

Segue l'aria di cui vale la pena di leggere il testo. I numeri tra parentesi mostrano a quali battute in Giuliani corrispondono i versi citati.

Assisa appiè d'un salice,
immersa nel dolore
gemea trafitta Isaura
dal più crudele amore, [bb. 68–76]
l'aura tra i rami flebile
ne ripeteva il suon. [bb. 77–87]

I ruscelletti limpidi
a' caldi suoi sospiri
il mormorio mesceano
de' lor diversi giri:
l'aura fra i rami flebile
ne ripeteva il suon.

Salce, d'amor delizia!,
ombra pietosa appresta
(di mie sciagure immemore),
all'urna mia funesta,

né più ripeta l'aura
de' miei lamenti il suon.

Recitativo accompagnato
Che dissi!... Ah m'ingannai!... Non è del canto
questo lugubre fin. M'ascolta... Oh Dio!
Qual mai strepito è questo!...
Qual presagio funesto! Ah no!
Io credeva che alcuno... oh come il cielo
s'unisce a' miei lamenti!
Ascolta il fin de' dolorosi accenti.

Aria
Ma stanca alfin di spargere
mesti sospiri e pianto
morì l'afflitta vergine
ahi! di quel salce accanto!
Ma stanca alfin di piangere,
morì l'afflitta vergine.
Morì, che duol! l'ingrato... l'ingrato... [bb. 113–124]

La cornice narrativa è la seguente: nella sua stanza da letto, accudita dalla fida Emilia, Desdemona è disperata perché Otello la ritiene ingiustamente infedele, e anche il padre l'ha respinta. Da lontano un gondoliere canta i versi danteschi di Paolo e Francesca: "Nessun maggior dolore...". Accompagnandosi all'arpa, Desdemona intona una canzone in cui rievoca la sua amica Isaura, morta di dolore ("Assisa appiè d'un salice"). Congeda quindi Emilia e intona al cielo una preghiera ("Deh calma, o Ciel").

Si tratta dunque di una scena mesta e disperata e Rossini, come di consueto, mette in opera una perfetta aderenza fra testo e musica. Il tema principale viene presentato quattro volte e dopo la terza c'è un recitativo accompagnato. Le riprese del tema comportano delle variazioni in Rossini come in Giuliani solo che nella trasposizione chitarristica vi sono solo tre presentazioni del tema principale mentre in Rossini sono quattro. L'idea delle variazioni è presente quindi già in Rossini e corrisponde in Giuliani alle due variazioni, la prima in terzine di sedicesimi e la seconda in quartine di trentaduesimi. All'ultima presentazione del tema segue un passaggio che in Giuliani sembrerebbe soltanto una brillante transizione con arpeggi in quartine di trentaduesimi mentre si tratta di un frammento originale di Rossini corrispondente ai versi "Morì l'afflitta vergine / Morì che duol! L'ingrato... L'ingrato...". Giuliani non ci dice nulla nel suo testo del carattere di questi trentaduesimi ma è chiaro che leggerlo solo come un brillante passaggio in arpeggi contraddice totalmente lo spirito di lamento accentuato dai semitoni *si/do* e *la/si* bemolle delle bb. 113-116. Senza avere presente l'originale rossiniano del testo è dunque impossibile cogliere lo spirito della citazione.

Un altro esempio significativo è tratto dalla *Rossiniana n. 5* op. 123 nella citazione del Sestetto della *Cenerentola* "Questo è un nodo avviluppato" tratto dall'Atto II.

Ecco l'incipit rossiniano:

Il testo è:

Questo è un nodo avviluppato,
questo è un gruppo rintrecciato.
Chi sviluppa più inviluppa,
chi più sgruppa, più raggruppa;
ed intanto la mia testa
vola, vola e poi s'arresta;
vo tenton per l'aria oscura,
e comincio a delirar.

È il momento che precede lo scioglimento della vicenda, in cui i personaggi sono portati alla massima sorpresa e alla massima confusione. Il principe Ramiro e il suo scudiero Dandini, capitati per un imprevisto nel palazzo di Don Magnifico – la loro carrozza si è infatti ribaltata durante un temporale – sono stupiti di ritrovare nelle vesti di una umile serva la splendida dama della quale il principe è innamorato durante una festa. Angelina, detta Cenerentola, è stupita di scoprire che il semplice scudiero del quale è innamorata sia in realtà il principe stesso. Don Magnifico e le sue figlie – il patrigno e le sorellastre che trattano Angelina come serva – sono stupiti che il principe Ramiro, anziché prestare attenzione a loro, rivolga il proprio interesse solamente verso Cenerentola. Di qui la confusione collettiva, il "nodo avviluppato", il "gruppo rintrecciato" in cui i personaggi smarriscono le loro sicurezze e con esse la loro individualità. Rossini ha concepito un intreccio dei sei personaggi che cantano tutti in staccato e per di più ogni volta che compare la lettera "r" (erre) si prevede un arrotamento dall'effetto davvero sorprendente e comico.

Ecco il testo musicale di Giuliani che omette qualunque indicazione riguardante l'articolazione, per cui se l'interprete non conosce la versione teatrale rischia di suonare legato, rendendo quasi irriconoscibile il passaggio, e stravolgendone il senso:

Dobbiamo quindi dedurne che la semplificazione della scrittura di Giuliani deve essere valutata dall'interprete con attenzione.

L'agogica

Nella seguente tabella proponiamo le indicazioni agoniche originali di Rossini e quelle corrispondenti di Giuliani nella *Rossiniana n. 1* op. 119:

Identificazioni	Agogica di Rossini	Agogica di Giuliani
Introduzione	-	Andantino
Otello "Assisa appiè d'un salice" - Atto III	Adagio	-
L'italiana in Algeri "Languir per una bella" - Atto I	Andantino	Andante grazioso
L'italiana in Algeri "Ai capricci della sorte" - Atto I	Allegro vivace	Maestoso

L'Italiana in Algeri "Pensa alla patria" - Atto II	Allegro	Moderato
Armida "Amor! Possente nome!" - Atto I	Allegro	Allegro vivace

Il confronto ci aiuta comprendere meglio alcune indicazioni di Giuliani. La prima citazione rossiniana ("Assisa appiè d'un salice") è in Giuliani priva di indicazione agogica; il che farebbe pensare che il tempo indicato per l'Introduzione valga anche per il tema rossiniano. Tuttavia tra Adagio e Andantino lo scarto è notevole e non sono sufficienti le considerazioni sulla scarsa capacità di prolungamento del suono della chitarra rispetto alle voci e all'orchestra a giustificarlo. Nelle citazioni successive oltretutto non si registrano differenze così importanti. Ammettendo che l'Andantino dell'Introduzione debba valere anche per "Assisa appiè d'un salice", una spiegazione potrebbe trovarsi in una lettera di Beethoven al suo editore George Thomson di Edimburgo datata Vienna, 19 febbraio 1813. Thomson aveva commissionato a Beethoven delle Arie su temi irlandesi e il compositore gli scrisse:

> Se nel futuro fra le Arie che riterrete di inviarmi per essere arrangiate ci fossero degli Andantino, vi pregherei di specificarmi se l'Andantino in questione va inteso come più lento o più veloce dell'Andante, poiché questo termine, come molti altri nella musica, ha un significato così incerto che a volte l'Andantino si avvicina all'Allegro mentre altre volte viene suonato come un Adagio.[1]

Anche se ciò non coincide con quello che oggi ~~ci~~ viene insegnato nelle nostre di scuole di musica o che troviamo indicato sulle scalette di valori impresse nei metronomi, è probabile che fin dalla sua introduzione la *Rossiniana n. 1* debba essere suonata con un tempo decisamente moderato, seppure maestoso, avvicinandosi così al tempo previsto da Rossini.

Gli altri estratti non pongono particolari problemi e dalla seconda e terza citazione dell'*Italiana in Algeri* possiamo avere conferma del fatto che Giuliani quando scrive Maestoso o Moderato intende Allegro maestoso e Allegro moderato.

La tecnica strumentale

Nella sua prima edizione Giuliani non fornisce alcuna indicazione di diteggiatura per le due mani: era una prassi comune all'epoca poiché si dava per scontato che chi volesse suonare un autore ne conoscesse pure il *Metodo* e gli *Studi* e pertanto fosse in possesso di tutte le informazioni utili a suonare quella musica. Si tratta di un'idea oggi trascurata a causa dell'affermarsi del concetto primo-novecentesco di tecnica adatta a tutti i repertori. Dagli anni Sessanta del Novecento il progressivo affermarsi di scuole interpretative improntate a un approccio storicamente informato nonché le esecuzioni su strumenti originali hanno permesso di accantonare in molti casi l'idea di una tecnica omnicomprensiva a favore di un approccio più specifico. Il caso della musica per chitarra di Giuliani è in questo senso chiaro e non resta, per coloro che desiderano suonarla senza usare le tecniche del senno di poi, che studiare attentamente il *Metodo* op. 1 e l'*Esercizio* op. 48.

Uno dei principali ostacoli per l'esecutore odierno della musica di Giuliani è dovuta a una differenza nella tecnica della mano sinistra: l'uso del pollice sinistro passando da dietro la tastiera poteva intervenire per premere alcune note sulla sesta e sulla quinta corda. Questa tecnica, ampiamente descritta in diversi metodi e fortemente combattuta da Fernando Sor, era all'epoca possibile perché gli strumenti oltre ad essere più piccoli di corpo avevano manici e corde più stretti. Questa caratteristica organologica favoriva l'uso del pollice sinistro per tastare le corde basse. Scomparve poi con l'arrivo e la diffusione in tutto il mondo, tra la fine del XIX e l'inizio del XX secolo, delle chitarre sul modello di Antonio Torres. Oggi, suonando uno strumento moderno, dobbiamo sopperire con altre dita, il che quasi sempre complica molto la diteggiatura, creando picchi improvvisi di difficoltà che certamente non erano nelle intenzioni Giuliani.

Un discorso a parte meritano le scale che, presenti in piccoli frammenti in tutta la produzione di Giuliani, si trovano maggiormente sviluppate, soprattutto come notine, nelle *Rossiniane*.

[1] Beethoven-Haus Bonn, HCB Br 258.

Nella prima *Rossiniana* in particolare le troviamo, per esempio, a b. 56 di "Assisa appiè d'un salice", b. 4 di "Languir per una bella" come notine cadenzali, e poi nel brillante finale a b. 91 "Cara, per te quest'anima", oltre che in numerosi piccoli frammenti lungo tutto il brano. La tendenza odierna è di eseguirle tutte articolate senza fare uso di legature per la mano sinistra. Questo tipo di fraseggio, tuttavia, non era considerato del gusto migliore dai chitarristi dell'epoca. La nostra concezione moderna dello studio delle scale è un'invenzione recentissima. Non che le scale manchino nei metodi del XIX secolo ma gli autori le intendono più come studio delle varie tonalità e delle loro diteggiature che come esercizi di brillante virtuosismo. Risalendo ancora nel tempo constateremo che nessun autore barocco presenta scale che non siano supportate da legature della mano sinistra, anche multiple.

Osserviamo dunque quanto scrive Napoléon Coste nella revisione della *Méthode* del suo maestro Fernando Sor, in particolare il capitolo intitolato "Considérations sur les traits et leur doigté" (per *traits* si intendono, appunto, passaggi brillanti come le scale):

> Occorre fare lo staccato [articolazione di ciascuna nota senza l'uso delle legature *n.d.r.*] dato che non esiste esecuzione brillante senza di esso, ma consideratelo solamente come un ausilio al pensiero musicale al quale siamo chiamati a dare rilievo e mordente. Un passaggio tutto staccato [articolato *n.d.r.*] che si prolungasse troppo sarebbe piatto e secco.

Ex: 22.

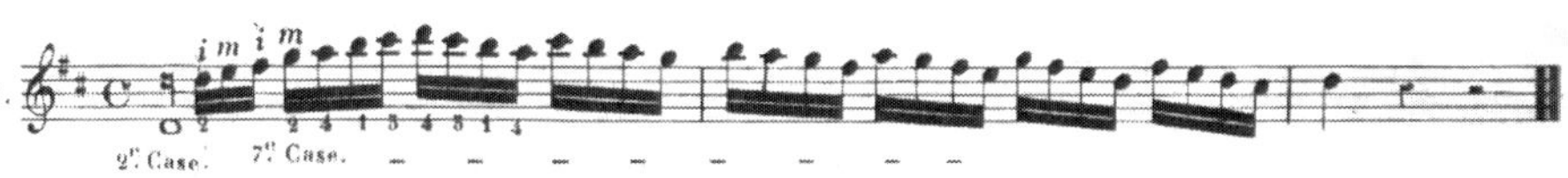

> Sarebbe pertanto una mancanza di gusto non introdurre delle note legate. Ecco come bisognerebbe eseguirle:[2]

Ex: 23.

Quasi tutti i metodi dell'epoca presentano oltre alle scale per lo studio delle tonalità e della loro diteggiatura anche scale da eseguirsi con legature; di solito questo argomento è affrontato nei paragrafi riguardanti le legature stesse o addirittura in quelli dedicati agli abbellimenti, un vecchio retaggio dei libri in intavolatura per chitarra barocca dove la legatura non veniva mai descritta come un espediente tecnico ma piuttosto con un abbellimento, un "agrément".

Lo stesso Giuliani nel suo *Esercizio per la Chitarra contenente 14 pezzi della maggiore difficoltà diversi preludi, Passaggi, ed Assolo* opus 48, compendio della sua tecnica strumentale, ci presenta diversi studi ricchi di scale (alcuni tratti da alcune sue importanti opere) come i nn. 4, 7, 9, 11, 16, 18, 22 e 23. Nessuno di questi presenta scale prive di legature.

Eccone un esempio:

N° 11.

Il chitarrista moderno potrà in casi come questo fare una scelta diversa e, se ne ha i mezzi, non usare alcuna legatura, tuttavia dovrà tener in giusto conto che i passaggi in scale necessitano di una particolare fluidità e leggerezza per non figurare come pesanti goffaggini.

Infine ci sembra utile fare un breve accenno all'impiego degli armonici artificiali dell'*Introduzione* della *Rossiniana n. 1*. Si tratta di un recitativo molto suggestivo nel quale l'alternanza tra suoni armonici e suoni naturali imita un recitativo accompagnato dall'orchestra. Si noti che è uno dei rarissimi casi

[2] Fernando Sor, *Méthode complète pour Guitare – Revue et augmentée de nombreux examples avec une notice sur la septième corde par N. Coste*, Paris 1845, pag. 21.

in cui Giuliani usa armonici artificiali e in questa scelta è facile immaginare l'influenza che potrebbe aver avuto la frequentazione di Paganini, noto per aver dato un grande sviluppo sul violino a questa tecnica. In genere i chitarristi del primo Ottocento facevano uso solo di armonici naturali, con l'eccezione di Fernando Sor che prende a prestito, nella *Grande Sonata* op. 25 e nella *Fantasia* op. 16, la tecnica "à double doigté" adoperata anche da Paganini.

> Si può anche utilizzare il sistema usato sul violino che consiste nel posare il primo dito sulla nota che vogliamo far sentire (ovvero la sua ottava bassa), si estende poi il quarto dito sino alla quarta della nota che si tiene con il primo dito, posate il dito sulla corda nel tasto superiore di questa quarta, pizzicate e il vostro suono sarà formato.[3]

Il recitativo della *Rossiniana n. 1* non può essere eseguito con questa tecnica poiché bisogna disporre di un *re* diesis che la chitarra senza *scordatura* della sesta corda non possiede. Ecco una descrizione, tratta dalla *Méthode* di Sor nella revisione di Napoléon Coste, di come venivano realizzati gli armonici ottavati:

> Si fanno pure dei suoni armonici a doppia diteggiatura posando le dita come sempre e lasciando sempre un intervallo di dodici tasti tra la mano sinistra che posa i suoni e l'indice della mano destra che li genera posandosi leggermente sulla corda mentre il pollice la pizzica. Con questo sistema si può fare una sequenza di semitoni, che sarebbe impossibile da fare con il sistema illustrato prima.[4]

Questa tecnica è leggermente diversa da quella prevalente oggi nella quale l'emissione del suono armonico è affidata alla combinazione indice/anulare piuttosto che indice/pollice.

Conclusione

Le indicazioni che abbiamo qui inteso riportare, e che sono solo alcuni esempi delle problematiche presentate dalle *Rossiniane*, non hanno alcun carattere prescrittivo e un qualunque chitarrista dotato di una tecnica moderna ben sviluppata può eseguire *Le Rossiniane* come pure tutto il repertorio del primo Ottocento senza l'ausilio di tecniche storiche. Riteniamo tuttavia che questa scelta possa essere fatta consapevolmente soltanto prendendo prima atto di come e per quale tipo di strumentalità queste opere sono state concepite. L'adozione di una tecnica, di una diteggiatura appartengono alla sfera più personale dell'interprete, il quale è artista compiuto solo se agisce nella più totale libertà, libertà che è veramente tale solo se accompagnata dalla conoscenza.

Torino, 4 gennaio 2021
Frédéric Zigante

[3] *Ivi*, p. 43.
[4] *Ivi*, p. 42.

Gioachino Rossini – Mauro Giuliani *Le Rossiniane*

The Author

Today, together with the Catalan Fernando Sor, Mauro Giuliani is considered the most important guitarist-composer of the early nineteenth century. This is thanks to the impressive research and re-evaluation of his works that has been carried out, since 1971, by the American scholar Thomas Heck, followed by Ruggero Chiesa, Mario Torta, Marco Riboni and Gerhard Penn.

The gradual return to favour of Giuliani's music – practically forgotten by the end of the 19th century and only a marginal element in the concert repertoire of the important guitarists of the early 1900s – was the direct result of these efforts. Giuliani was the most important guitarist of his era, and his fame went far beyond the world of guitar enthusiasts: he was a consummate musician and a full-fledged member of the musical elite of his time. In September 1816, commenting on one of his concerts, Carl Maria von Weber wrote: "Even if, thanks to his reputation, our expectations were great, Signor Giuliani's performance did not just match, but exceeded them."[1]

Mauro Giuliani, whose full name was Mauro Giuseppe Serio Pantaleo, was born on 27 July 1781 in Bisceglie, Apulia, the son of Michele Giuliani and Antonia Tota, the youngest of five children. The Giuliani family must have been fairly prosperous, because they were able to provide their children with an excellent general and musical education, to the point where two of them went on to become professional musicians: Mauro, as well as his older brother, Nicola, a violinist, singer, and composer who pursued a career between Russia and Paris. Little is known about their musical education, but Gaetano Lucci, a Neapolitan cellist and guitarist who, as Mauro's elder sister Emanuela's fiancé, lived for a certain period in the Giuliani household, must have played an important role. In any case, Mauro had a comprehensive musical education as a guitarist, cellist and composer, which was clearly apparent even in his first works. However, he soon realised that it would be practically impossible to have a career as musician in Italy without being an opera composer, seeing that instrumental music was not considered very important in comparison. Consequently, after a short stay in Trieste, he decided to try his luck in Vienna, moving there in 1806. He presented himself as a "Neapolitan" artist, completely legitimate considering that Apulia was at the time part of the Kingdom of Naples. Vienna was, without a doubt, one of the most important European capitals as far as music was concerned, and for a virtuoso-composer a public performance there that was well received by critics could mean the consecration of an international career. Compared to the migrations of the other Italian guitarists of the time, for whom the preferred destination was almost always Paris – where the guitar was at the height of fashion – Giuliani's choice to settle permanently in Vienna, remaining there until 1819, was both a fortuitous and unusual one. There, he quickly became known as the finest guitarist alive. This would allow him to enjoy thirteen years of intense activity made up of private and public concerts, teaching, as well as a profitable publishing activity during which he collaborated with the major Viennese publishers, such as the Imprimerie Chimique, Cappi & Diabelli, Steiner, and Domenico Artaria. Also helped by his notoriously good looks - leading one commentator to write: "The elegant Italian, who is also young and very alluring, an authentic Antinous [...]"[2] – and his indubitable communicative skills, Giuliani was able to penetrate Vienna's rich musical world. He would make friends and collaborate with musicians of the calibre of Ludwig van Beethoven, the pianists Johann Nepomuk Hummel and Ignaz Moscheles, the violinist Josef Mayseder, as well as Johann Nepomuk Maelzel, inventor of musical and theatrical machines. While there, it is quite probable that he also met Franz Joseph Haydn and Franz Schubert. On 3 April 1808, he played his *Concerto pour guitare et grand orchestre* Op. 30, one of his most important works, for the first time. It was the first time that a six-course guitar was coupled with an orchestra. An unprecedented success, it led to numerous performances, including one in Berlin under the baton of Carl Maria von

[1] From Weber's diary from 2 October 1816, as quoted in Marco Riboni, *Mauro Giuliani*, L'Epos, Palermo 2011.

[2] From an 1810 letter written by Johann Friedrich Reichardt, taken from: Marco Riboni, *Mauro Giuliani*, L'Epos, Palermo 2011 and T.F. Heck, *Mauro Giuliani: virtuoso Guitarist and Composer*, Editions Orphee, Columbus 1995.

Weber. On 8 and 12 December 1813, he took part in two celebratory concerts in honour of the city in which all of Vienna's leading virtuosos participated; the programme included the first performance of Beethoven's *Seventh Symphony* in A major, Op. 92, which was conducted by the composer himself, as well as his "Battle of Wellington" overture, in which the sound effects of the battle were recreated by some of Maelzel's machines. In 1819, at the age of 38, Giuliani left Vienna abruptly, suddenly returning to Italy in order to avoid the consequences of a court injunction for debt. Moreover, he wanted to escape the attention of the morally conservative Vienna police, who were beginning to take notice of his apparently dissolute private life. He went first to Rome, where he lived from 1820 until 1823, before settling in Naples, where he would live until his death.

His stay in Rome was characterised by a lack of concerts, hardly any local publishing activity (although he continued bringing out works for his old Viennese printing house and Ricordi), and the realisation that as far as his own career was concerned, there were no prospects for him as a musician in the capital of the Papal States. However, it was properly in Rome that Giuliani would begin to spend time Gioachino Rossini and Niccolò Paganini. Living in Naples, a city that had an infinitely livelier musical life than Rome, must have seemed like a rebirth to Giuliani, even though, from his letters to the publisher Domenico Artaria, it can be deduced that he never stopped regretting leaving Vienna and planning to return there. At the same time, he must have already been quite ill with the unspecified disease that would cause his death, at only 48 years of age, during the night of 7–8 May 1829.

Giuliani's musical production includes 230 works, of which 150 are numbered. It is mostly made up of pieces for solo guitar, as well as several chamber pieces for violin, flute, piano or voice, and three concertos for guitar and symphony orchestra. The forms used are those most commonly found in the European music of the era: sonatas (sometimes disguised under other denominations), variations, short or character pieces such as rondos, caprices, or divertissements, *potpourris* based on opera or, less frequently, popular music, as well as and numerous collections of exercises. One of the most remarkable examples of Giuliani's art are the three concertos Op. 30, 36 and 70, some of the first examples of a genre that would become widespread in the 20th century. Giuliani also paid homage to "*Rossinismo*", a phenomenon of stylistic assimilation prevalent at the time, with six important monographic *potpourris* entitled *Le Rossiniane* (Op. 119–124), the *Grande Ouverture* Op. 61 and certain Variations such as Op. 114, based on a theme by Michele Carafa, Rossini's friend and collaborator. Mauro Giuliani also authored an important guitar method entitled *Studio per la Chitarra* Op. 1, still widely used today.

From a stylistic point of view, a first look at Giuliani's works reveals the presence of two souls: one Italian, one Viennese. By analysing the purpose of his pieces as well as their intended audience, it becomes possible to classify his musical production in a precise and satisfactory way. This methodological approach, proposed by Marco Riboni, makes it possible to distinguish the two styles within his oeuvre. On the one hand, there is the Viennese *galant* style, with its typical Biedermeier elements, brilliant and virtuosic; on the other, the Italian repertoire, shaped by operatic style and its vocality, made up of reductions and transcriptions, to which should be added the numerous technically simple recreational works designed for amateurs, often written for didactic purposes, that were composed during his final period.[3]

Le Rossiniane

The *Rossiniane*, published between 1821 and 1828, are a series of six musical *potpourris* entirely based on the music of Gioachino Rossini.

The term *potpourri*[4] is not used in either of the two autograph manuscripts that have come down to us, nor can it be found in the Viennese and Italian editions, both published while the composer was still alive. It was, however, used by Giuliani himself in a letter to the publisher Giovanni Ricordi, dated Rome, 6 February 1821, in which he asks him whether he would be interested in buying and publishing a list of compositions including a "Gran Potpourri for guitar, called the *Rossiniana*, pieces that I use

[3] M. Riboni, *ibid.*

[4] Originally, "potpourri" meant "a rotten vessel", like the Spanish *olla podrida*. The name has culinary origins and is used when speaking of literary or musical work made up of several different elements.

for my own concerts".[5] It is likely that Giuliani used this term in order to convince his publisher of this type of composition's commercial possibilities. A few lines before, the virtuoso briefly describes how the genre was born: "While in Rome, I was inspired to compose some pieces in a hitherto-unknown style. In addition to the many original pieces that Rossini, with whom I have a special relationship, was kind enough to entrust me with, I adapted anything that caught my fancy. In conclusion: I would like to see this music published".

During his Roman period Giuliani established a convivial friendship with Rossini and Paganini. Conestabile gives an account of their relationship in his *Vita di Niccolò Paganini da Genova scritta ed illustrata da Giancarlo Conestabile socio di varie accademie* [*The Life of Niccolò Paganini of Genoa, written and illustrated by Giancarlo Conestabile, member of various academies*] (Perugia, 1851). According to his account, during the period in which Rossini's *Matilde di Shabran* was being performed at the Apollo Theatre, "the two most sublime geniuses of the Italian art, Giuliani and Paganini, could always be found in the company of the genius of Pesaro, one playing the guitar, the other the violin", at the composer's Roman residence.

Their friendship was also noted by Giuliani's biographer, Filippo Isnardi, writing in 1836: "Mauro Giuliani was traveling from Vienna to Naples, very eager to get back home. However, when he arrived in Rome, on 3 August 1819, having found his famous friends, Rossini and Paganini, he decided to stay. Their mutual merrymaking became so legendary that they came to be known as the Musical Triumvirate".[6] On 24 February 1821, Paganini conducted the first performance of *Matilde di Shabran* because the concertmaster and conductor had fallen ill. Perhaps it is no coincidence that this work contains a very short guitar solo that, together with the Count's famous song "Se il mio nome saper voi bramate" in *The Barber of Seville*, are the only pieces that the Pesaro-born opera composer ever wrote for the instrument.

Some important points can be deduced from Giuliani's letter to Ricordi, who would not publish a single *Rossiniana* until 1828 (part VI, Op. 124): the first is that the *Rossiniane* were part of Giuliani's concert repertoire; the second is that Rossini was not only aware of the project which would bear his name, but also collaborated with Giuliani in some ways, providing him with some themes expressly composed for Giulani's work. The third element to keep in mind is that Giuliani was well aware that these pieces represented a new development for his own compositions and for the musical panorama of the time, "a hitherto-unknown style".[7]

The *potpourri* was one of the most popular instrumental genres of the early 1800s. It was an assembly of catchy tunes that unfolded seamlessly from start to end. There were different types of *potpourris*: some were constructed from themes drawn from the works of different composers,[8] others used themes drawn from the works of a single one (as in the case of the *Rossiniane*). In this latter instance, themes could also be drawn from a single operatic work. It was a genre that, in the absence of modern means of reproducing music, had a very important function in bringing music, most often created for the theatre, into the home. However, it was precisely the popular and commercial nature of most *potpourris*

[5] The letter, now housed at the Royal Academy of Music, was once in London, as part of the private collection of Robert Spencer. A reproduction of it can be found in: *Mauro Giuliani, Rossiniana no. 1 for solo guitar,* Op. 119, edited and revised by Julian Bream, Faber Music Ltd, London 1979. It consists of two unnumbered sides of paper with a collage of *Rossiniana* Op. 119 and a section of Op. 122 written on it.

[6] Filippo Isnardi, "Cenni biografici intorno a Mauro Giuliano [*sic*]" in *L'Omnibus*, periodic leaflet, IV/3, Naples 30 April 1836, cit. in: Thomas Heck, "Giuliani in Italia" in *Il Fronimo*, II/July 1974, p. 16.

[7] In a letter dated 23 July 1822, addressed to Domenico Artaria, Giuliani writes: "I would like to know if you would be interested in any further copies of this work, *Le Rossiniane*, as I plan to go up to number 12 or 18. This project would never come to completion. The letter is held in Vienna, at the Wiener Stadt-und Landesbibliothek. Handschriftensammlung, shelf-mark J.N. 69733.

[8] Mauro Giuliani was not new to this kind of composition: in fact, before the *Rossiniane*, he had published another six *potpourris* also indicated as such in the title: *1er Pot-Pourri pour la guitarre* [*sic*] Op. 18 (Artaria, Vienna 1808), *Pot-Pourri pour la guitarre* Op. 26 (Imprimerie Chimique, Vienna 1810), *Second Pot-Pourri pour la guitarre* Op. 28 (Artaria, Vienna 1811), *3ème Grand Pot-Pourri pour la guitarre* Op. 31 (Artaria, Vienna 1811), *4ème Pot-Pourri pour la guitarre* Op. 42 (Artaria, Vienna 1811) and *Pot-Pourri Nazionale Romano per Lira o chitarra sola* [A Roman national *potpourri* for solo Lyra or guitar] Op. 108 (Ricordi, Milan 1823) based on Roman songs in vogue at the time. These *potpourris* are not based on the works of a single author, as in the *Rossiniane*, but include musical quotations from quite diverse authors and, in the case of the sixth, pieces of a local character. Giuliani elaborates the pre-existent material with his usual mastery, managing to create pieces that are idiomatic for the guitar and of great musical impact. At the same time, they were conceived as a homage to a tradition and were born with commercial objectives in mind.

that undermined their artistic value: the need to provide material that was not excessively difficult to perform as well as accessible and easy to listen to often reduced the artistic contribution of the author to a minimum, even in the case of composers of considerable creative talent.[9] The collage-like (or heterogeneous) nature of the *potpourri* and the fact that it was almost always based on pre-existent thematic material made it a genre that, as the 19th century progressed, was regarded with suspicion and mistrust, almost as a form lacking in dignity or artistic merit. Even if after a cursory reading of many of the potpourri of the time it could be said that this attitude was not completely unjustified,[10] the fact that, in the hands of artists of greater depth, the genre reached levels of significant quality should not be ignored. It is sufficient to recall the contribution of Franz Liszt with his paraphrases that, for their originality and richness, can be considered fully accomplished works of art, if not masterpieces.

Therefore, I don't think it would be in error to make a distinction between the *potpourri*s intended for general use and the ones that we would define as "concert" *potpourri*s today: in other words, designed for virtuosos of Giuliani's calibre. In this sense, the *Rossiniane* represent a highpoint in the guitar repertoire, a level that no other author has ever achieved. The publishers who first printed *Le Rossiniane*, in order: Artaria, Diabelli and Ricordi, were probably fully aware of this distinction and – without exception – refrained from using the term *potpourri* or any other catchphrases. Diabelli even went so far as to modify the titles given by Giuliani, ascribing the *Rossiniane* part IV Op. 122 and part V Op. 123 to the genre of *Fantasia*. Another significant sign of the regard with which the publishers held the *Rossiniane* was the rather high selling price stipulated on the cover, further indicating the importance of these compositions.

"A hitherto-unknown style"

It would be somewhat simplistic to attribute, in Giuliani's words, this "hitherto-unknown style" to the fact that the *Rossiniane* were meant to be performed in a concert situation, to their monographic character or even to their formal aspects, even if they were certainly original and unprecedented for the *potpourri* genre. It is remarkable how, upon his return to Italy, Giuliani's compositions for guitar acquired a greater richness of sound, their writing became more varied, and they became less based upon fixed structures than during his Viennese period. This development was the fruit of the composer's long and in-depth exploration of pre-existent material, almost always works by Rossini, which, as such, did not really fit in to the normal instrumental or guitar logic. Giuliani's extraordinary ability to translate any musical idea into an idiomatic guitar style, an ability that truly came to the fore in his transcriptions,[11] helped to create this new, indeed "hitherto-unknown", guitar style.

Giuliani's Rossinian quotations can be divided into three different kinds. The first is that of the *principal quotations*, that is to say, musical ideas that open an aria or a complete piece: there are around thirty of them which were identified as such by Stefano Castelvecchi in his 1986 essay.[12] These consist

[9] This is the case, for example, with Ferdinando Carulli (1770–1841), who also wrote potpourris dedicated to Rossini, the titles of which amply illustrate the author's ambitions: *Les Pensées de Rossini ou Choix de ses plus jolis Motifs arrangés en caprice pour la guitare*, or *Rossini à la portée des Commencants* or *DEUX CAPRICES sur le Motifs les plus heureux de ce Célèbre Auteur d'une exécution très facile pour la guitare*, or *Fantaisie avec variations sur les plus jolis Motifs de La Donna del Lago de ROSSINI, composée pour la Guitare*. These are, in all cases, short thematic fragments interspersed with some instrumental variations and with very short and very conventional transitions from a "joli motif".

[10] A very similar project, with a very similar outcome, was Emilia Giuliani's (1813–1850) six potpourris entitled *Belliniana*. Not conceived as a cycle, and derived from thematic material by Vincenzo Bellini, they were published by Ricordi between 1834 and 1836 with the opera numbers 2, 4, 6, 7, 8 and 11.

[11] Many of these are based on Rossini's works, such as the overtures to *La Cenerentola* and *Semiramide*, with several other numbers drawn from the latter, published for solo guitar without opus number by Artaria, Ricordi and Girard during Giuliani's last Italian sojourn. In 1830, Ricordi also published, posthumously, four Rossini overtures transcribed for two guitars, drawn from *Elisabetta, Regina d'Inghilterra*, *La Cenerentola*, *L'assedio di Corinto* and *La gazza ladra*.

[12] Stefano Castelvecchi, "Le Rossiniane di Mauro Giuliani", in *Bollettino del Centro rossiniano di studi*, 1986 1-3, Fondazione Rossini, Pesaro, p. 33–71. In 1976–77 Ruggero Chiesa edited a three-volume edition of the first three *Rossiniane* (Op. 119–121) in which presents his in-depth research into the identification of the Rossinian originals. In 1990–91 Chiesa published the remaining three *Rossiniane* Op. 122–124. Chiesa's work represents the greatest modern editorial effort devoted to the *Rossiniane*. Other modern contributors include Thomas Heck and Brian Jeffrey, who edited two facsimile editions of the cycle, while Julian Bream, Carlo Carfagna and Fabio Rizza have published modern

of rather long quotations, such as the one from Ninetta's *cavatina* from the first act of *La gazza ladra* found in *Rossiniana* Op. 120, no. 2, where it is repeated twice, with numerous fully written-out ornaments.[13]

Each *Rossiniana* has five main themes, with the exception of no. 6 (Op. 124), which has 4, and no. 5 (Op. 123) which has 6.[14] It is the operas that they come from, rather than the themes themselves, that are indicated in the two manuscripts that have come down to us from Giuliani's own hand (Op. 121 and 123). The same is true of the editions of nos. 3 (Op. 121) and 6 (Op. 124): evidently Giuliani's editors also did not give much weight to this aspect.

The second kind of musical quotation consists of very short fragments taken from secondary themes, used by Rossini as connecting elements. A very brief example is one of the only three bars taken from *Cenerentola* that close the Introduction of *Rossiniana no. 3* Op. 121.

Parte orchestrale, Scena e Duetto "Un soave non so che", *La Cenerentola*, Atto I (Cenerentola - Don Ramiro).

Here are another two important examples of this second kind of musical quotation. The first is found in bars 23–35 of *Rossiniana no. 4* Op. 122:

revisions. We have already pointed out that the edition published by Julian Bream under the title *Rossiniana no. 1* is a collage of most of Op. 119 and part of Op. 122. However questionable Bream's approach (a collage of two collages...) may be, it must be acknowledged that the awareness of the *Rossiniane*'s existence in the 20th century, and their eventual return to the repertoire owe much to the celebrated British interpreter.

[13] The way is which Giuliani presents the Rossinian motifs, embellished according to the vocal practices of the era, is of great interest, and can also be seen in the most famous singing treatises of the time. The best known of these, the *Traité complet de l'art de chant* by Manuel Garcia *fils* (Paris, 1847), features, among its musical examples, almost half of the motifs used by Giuliani in his *Rossiniane*.

[14] There is only one exception to Rossini's authorial presence: in *Rossiniana* Op. 120, the second theme (Allegretto innocente) is taken from *Armida*, Act I: "Arditi all'ire" (Goffredo). In reality, it is a *cavatina* entitled "Nume perdonami, se in tale istante", written by Pietro Generali (1773–1832), taken from the opera *I Baccanali di Roma* (first performed in Venice in 1815) which Rossini also used in *Armida* (first performed in Naples in 1817). It is rather unlikely that Giuliani was unaware of its true authorship if, in 1819, when his *Variazioni* Op. 102 were published in Vienna for Cappi & Diabelli, he attributed the "Cavatina favorita" to "Sigr. Pietro Generali".

The fact that this same fragment was used by Rossini himself, always in connecting passages, in a variety of works and situations is of considerable interest. It can be found for the first time in a scholastic composition, the cantata *Il pianto d'Armonia per la morte di Orfeo*. This is followed by its use in a number of rather varying operas, such as *La pietra di paragone* (1812), *L'occasione fa il ladro* (1812) *Il barbiere di Siviglia* (1816), as well as *Mosè in Egitto* (1818) and its French adaptation, *Moïse et Pharaon* (1827). Rossini's hand can also be detected in the finales, usually an occasion for virtuosic fireworks, for example in the dizzying close of *Rossiniana* Op. 124 no. 6 taken from the Overture of *Semiramide*.

Sinfonia, *Semiramide*.

A third kind of musical quotation could be defined by the word "imitative". In these, Rossini is not quoted literally, but more "evoked" through the use of some of his most typical musical gestures. For example, in the transitions between one theme and another, Giuliani makes frequent use of the crescendo, which maintains, albeit in a more limited form (due to the limited dynamic possibilities of the guitar as compared to those of the orchestra), all of the elements found in Rossini's model: 4 bars, T/D/T/D, dynamic indication ***p*** + 4 bars, T/D/T/D, dynamic indication "crescendo" + 4 bars, T/D/T/D dynamic indication ***ff***, with a harmonic progression that alternates between tonic and dominant, over which the melodic passages are repeated. To this type of imitative quotation belongs, for example, a large part of the Introduction to *Rossiniana* part VI Op. 124, in which, according to Arrigo Quattrocchi:

> [Giuliani] seems to allude at several points in the first thirty-one bars, to orchestral colours (woodwind and brass), then uses, from the thirty-second bar on, an incidental passage of semiquavers that derives from the *Italiana in Algeri* (the duet "Se inclinassi a prender moglie"), before inserting, at the forty-third bar, a repeated rhythm taken from the Overture to *Semiramide* that leads up to, together with the "shadow theme" that follows it, a long episode reminiscent of that opera.[15]

[15] Arrigo Quattrocchi, *Esercizi di memoria*, edited by Daniela Macchione and Alessandra Quattrocchi, Il Saggiatore, Milano 2017, p. 163–174.

Despite this large presence of Rossinian material, Giuliani also wrote numerous original passages, consisting of a number of introductions, which are quite an important component in the overall makeup of the *Rossiniane*, as well as some connecting passages, variations, and most of the brilliant finales.

The fact that Mauro Giuliani identifies perfectly with Rossini's style can already be clearly seen in several earlier compositions, such as the *Grande Ouverture* Op. 61, in some theme and variations, as well as in the *Ariette* Op. 95 for voice and guitar. However, it is only in the *Rossiniane* that Giuliani reaches this level of osmosis and stylistic coherence. This is because Giuliani, next to quoting complete themes from the "Maestro of Pesaro", also adopted of the stylistic features of his compositions: a phenomenon well known at the time under the name of "*Rossinismo*".

Giuliani is also very careful in his choice of main themes (always using contrasting characters within each *Rossiniana* itself) and proves himself capable of capturing not only the exquisitely melodic character of Rossini's works, but also their theatricality, transforming them into a species of miniature opera acts as seen from a guitar's perspective with instrumental writing at the highest level and an effective agogical structure.

Sources

Le Rossiniane, Part I op. 119

Autograph manuscript: missing

Non-autograph manuscript: Milan, Conservatorio Giuseppe Verdi, Fondo Noseda M-15-7-1, undated.

N.° Sei / Rossiniane / per Chitarra / Composte / Da / Dal Sig. Mauro Giuliani / 6.a / Opera 124 / $2^{1/2}$ [price on right]

First Edition (1821)

LE ROSSINIANE / per la Chitarra / Composte e Dedicate / A Sua Eccellenza / Il Signor Don Enrico Caetani / Duca di Sermonetta / da/ MAURO GIULIANI / 1 parte / Op. 119. [number written by hand] / Publicate / a Vienna da Artaria e Compag. / N° 2662. 2718. [left.] / Pr. .1fl - C.M.[16]

Location: Collection of Robert Spencer, Royal Academy of Music, London.

Facsimile published in: Mauro Giuliani. *The complete works in facsimiles of the original editions*, vol. 13, edited by Brian Jeffrey, Tecla Editions, London, 1986.

[16] The monetary units in Vienna at the time were: fl. (or f.) = florin or C.M. = Convention Münze (Convention Coin). In Milan, for Op. 124: f.cs = francs.

Le Rossiniane, Part II Op. 120

Autograph manuscript: missing

Non-autograph manuscript: Milan, Conservatorio Giuseppe Verdi, Fondo Noseda M-15-7-2, undated.

N.° Sei / Rossiniane / per Chitarra / Composte / Da / Mauro Giuliani / 2.da / opera 120. / 2 3/4 [price on right].

First Edition (1822)

LE ROSSINIANE/ per la Chitarra / Composte e Dedicate / A Sua Eccellenza / Il Signor Don Enrico Caetani / Duca di Sermonetta / da/ MAURO GIULIANI / II parte / Op. 120 [handwritten number] / Publicate/ a Vienna da Artaria e Compag. / N° 2662. 2718. [on left].

Location: Conservatory of Music, Oslo.

Facsimile published in: *Mauro Giuliani, ibid.*

Le Rossiniane, Part III op. 121

Autograph manuscript: undated, without provenance; Berlin, Staatsbibliothek Preussischer Kulturbesitz, Mus. Ms. 7660/1; 8 cc.

Mus. Ms. 7660/1; 8 cc.

Le / Rossiniane / per / Chitarra / Composte e Dedicate / A Sua Eccellenza / Il Signor Don Enrico Caetani / Duca di Sermoneta / da / Mauro Giuliani / Parte Terza / Opera 121 / N° 2769

Non-autograph manuscript: il Fondo Noseda del Conservatorio di Milano, Op. 121 missing.

First edition (1822)

LE ROSSINIANE / per la Chitarra / Composte e Dedicate / A Sua Eccellenza / Il Signor Don Enrico Caetani / Duca di Sermonetta / da / MAURO GIULIANI / 3a parte / Op. 121. [handwritten number] / Publicate / a Vienna da Artaria e Compag. / N° 2662. 2718. [on left]

Location: Collection of Robert Spencer, Royal Academy of Music, London.

Facsimile published in: *Mauro Giuliani, ibid.*

Le Rossiniane, Part IV Op. 122

Autograph manuscript: not found

Non-autograph manuscript: Milan, Conservatory, Fondo Noseda M-15-7-3, undated.

N.° Sei / Rossiniane / per Chitarra / Composte / Da / Mauro Giuliani / 4.a / opera 122 / 3. [price on right]

First Edition (1824)

Premiere [*sic*] / FANTAISIE / pour la Guitare seule / sur plusieurs motifs de Rossini / COMPOSÈE [*sic*] PAR / MAURO GIULIANI / OEUVRE 122. [num. scritto a mano] / Propriètè des Editeurs. / N.ro 1667 [on left] / Pr 1 fl: Conv: M. [on right.] / VIENNE / Chez A. DIABELLI et COMP: / Graben N.ro 1133

Location: Royal Library, Copenhagen,

Facsimile published in: *Mauro Giuliani, ibid.*

Le Rossiniane, Part V Op. 123

Autograph manuscript: Rome, 1 October 1823; Vienna, Österreichische Nationalbibliothek, Mus. Hs. 35842; 6 cc.

Le / Rossiniane / per / Chitarra o Lira / Composte da / Mauro Giuliani / Opera 123 / mano propria / Roma 1° ottobre 1823

Non-autograph manuscript: Milan, Conservatory, Fondo Noseda M-15-7-4, undated.

N.° Sei / Rossiniane / per Chitarra / Composte / Da / Mauro Giuliani / 5.a / Opera 123. [on left] / $2^{3/4}$ [price, on right.]

First Edition (1824)

Seconde / FANTAISIE / pour la Guitare seule / sur plusieurs motifs de Rossini / COMPOSÈE [*sic*] PAR / Mauro Giuliani / Oeuvre 123. [handwritten number] / Propriètè [*sic*] des Editeurs. / N.ro 1668 [on left.] / Pr: 43 kr: Conv. M. [on right.] / VIENNE / Chez A. DIABELLI et Comp: / Graben N.ro 1133.

Location: Royal Library, Copenhagen.

Facsimile published in: *Mauro Giuliani, ibid.*

Le Rossiniane, Part VI Op. 124
Autograph manuscript: missing
Non-autograph manuscript: Milan, Conservatory, Fondo Noseda M-15-7-5, undated.
N.° Sei / Rossiniane / per Chitarra / Composte / Da / Dal Sig. Mauro Giuliani / 6.a / Opera 124 / $2^{1/2}$ [price, on right]
First Edition (1828)
VI. / ROSSINIANA / per la Chitarra / Composte e Dedicate / A Sua Eccellenza / Il Signor Don Enrico Caetani / Duca di Sermonetta / da / MAURO GIULIANI / parte (nessuna indicazione) / Op. 124. / Proprietà dell'Editore N. 2993. [on left] / Depos. All'I.R. Bibl.a Prezzo f.cs 2. [on right] / MILANO. Presso Gio. Ricordi dirimpetto all'I. R. Teatro alla Scala / FIRENZE Presso Ricordi, Pozzi e c. / N.° 61
Location: Collection of Alan Tyson, London
Facsimile published in: *Mauro Giuliani, ibid.*

A comparison between the different surviving sources does not reveal any substantial differences; and there are a few little copying errors that can be found in every copy. A comparative analysis of different autograph sources is only possible for the *Rossiniane* Op. 121 and 123: these were certainly manuscripts used in preparation for the plates of the first editions, published, respectively, by Artaria and Diabelli. As far as the other four *Rossiniane* (Op. 119, 120, 122, 124) are concerned, due to a lack of autograph copies, currently untraceable, it has been necessary to resort to the first printed editions and the anonymous manuscripts of five *Rossiniane* held in the Fondo Noseda of the Library of the Conservatory "Giuseppe Verdi" of Milano: the missing *Rossiniana* is Op. 121 (no. 3). This manuscript has been erroneously identified as a Giuliani autograph on several occasions: however, it could not have come from his hand because the writing itself is completely different from that of the Apulian guitarist. Furthermore, it uses a notational style, simplified as far as the treatment of polyphony is concerned, that has been in use for centuries and is still used in Italy, which Giuliani had given up years beforehand, having established a more thorough system during his Viennese period.

During his brief lifetime, Gustavo Adolfo Noseda (Milan, 1837–1866), composer and music bibliophile put together a music collection, begun during a long stay in Naples (1859–1863), that would be of extraordinary historical importance. It is possible that the manuscript copy of the *Rossiniane* now in the Fondo Noseda of the Milan Conservatory Library was prepared to serve as a matrix for one of the many music copy shops operating in Naples. The layout of the frontispieces and the presence of some agogic indications absent from the first editions make the hypothesis that these manuscripts are copies directly derived from Giuliani's autographs plausible.

The present edition

This edition is based on the contemporary musical sources that have survived to the present day. Errors in the sources have been corrected and fingerings (omitted in the first editions) have been added, in a way consistent with the guitar techniques laid out by Giuliani in his *Studio per chitarra* Op. 1 and *Esercizio* Op. 48. The only exception concerns the thumb technique of the left hand, a technique that is difficult to apply on today's guitar due to its neck-width. These passages are indicated in the score by the sign * and a realization is proposed without the use of the left thumb, which, with the sole exception of *Rossiniana* Op. 122, does not alter the original musical text. The rare original fingerings for the left hand are indicated with Arabic numerals in italics. Punctuated slurs are added by the editor, as are any items in square brackets.

To conclude, it should be added that over a long period of time, from when I began dealing with the *Rossiniane*, information, advice and help of various kinds (but all of it priceless) have been provided by Francesco Biraghi, Lucia Castellini, Ruggero Chiesa, Marta Crippa, Andrea De Vitis, Gianni Fidanza, Andrea Malnati, Ilaria Narici, Raffaele Pisano, Arrigo Quattrocchi and Marco Riboni. My heartfelt thanks to all.

Interpretation notes

Playing a *potpourri* today

When performing an instrumental piece from the past, there are two possible approaches. The first involves recognising and attempting to realise, with the help of the technical and cultural baggage currently available to us, the elements that have come to us through musical data (printed editions and manuscripts); the second involves trying to relate the surviving musical evidence to everything we know today about the technical and cultural background of the author and his contemporaries.

Compared to other instrumental genres, for example sonatas or character pieces, the *Rossiniane* pose some unusual problems that are not always easy to solve. At the root of these compositions lies, in fact, a concept that was certainly in the mind of the composer: that of "recognisability". In other words, it is a genre in which in order to fully express the author's intentions, the music needs to lead, first the performer, and then the listener, unequivocally back to a previously lived aural experience, a sort of musical *déjà* vu or, even better, a *déjà entendu*.

Today it would be unthinkable to aim for a performance of the *Rossiniane* in which the themes themselves would be immediately recognisable: although today's audience is, yes, much larger than that of Giuliani's concerts, it is certainly much less familiar with Rossini's operatic production. There is only a very small minority of people who, when listening to a *Rossiniana* today, will experience the setting in motion of the mechanisms related to the *déjà entendu* mentioned above. The performer, however, cannot disregard this fact, which, in Giuliani's case, would have been taken for granted. A modern interpreter of the *Rossiniane* should not, therefore, limit herself or himself to a simple reading, even if instrumentally brilliant, but should strive to reproduce not only the letter of the guitar text but also its spirit, the expressive character of the theatrical scene from which the passage was derived.

Why do we believe that Giuliani took the knowledge of Rossini's originals for granted? This is because Giulani's guitar score does provide enough information to decipher all of the references that he, evidently, assumed would be of common-knowledge to the interpreter.

Let us clarify the concept with two examples.

In *Rossiniana no. 1* Op. 119, the first theme is taken from *Otello*, Desdemona's aria "Assisa appiè d'un salice", a scene that is introduced by a passage for solo harp. Giuliani's choice to open the *Rossiniane* cycle with this piece not out of character: it is an aria, so to speak, that, already at its origin, makes use of plucked strings.

This is followed by the aria, whose text is worth reading (original Italian lyrics on page XXIX of this edition). The numbers in brackets indicate the corresponding bars in Giuliani.

Aria
At the foot of a willow
drowned in pain
Isaura lay pierced
by the cruelest of loves, [b. 68–76]
the light breeze between the branches
echoed her laments. [b. 68-76]

The clear streams
mixed to her warm sighs
the gurgling of their paths:
the light breeze between the branches
echoed her laments.

Willow, beloved by lovers,
bring your pitying shadow:
unaware of my pains,
to cover my funeral urn:

may the breeze no longer echo
the sound of my laments.

Accompanied recitativo
What am I saying! I was mistaken! This grim end
is not the ending of my song. Listen to me... oh God!
What wretched whining is this?
What wretched omen! Oh no!
I thought that someone, oh how the Heavens
join in my laments.
Listen, then, to the end of these painful tones.

But, tired at the end of strewing
sad sighs and tears,
the wretched virgin perished
Alas, beside the willow,
But, tired at the end of strewing
the wretched virgin perished
perished, what pain! The ungrateful one... [b. 113–124]

The narrative framework is as follows: in her bedroom, tended to by her trusted Emilia, Desdemona is desperate because Othello believes her, unjustly, to be unfaithful, and in addition her father has also rejected her.

In the distance, a gondolier can be heard singing Dante's verses dedicated to Paolo and Francesca: "Nessun maggiore dolore...". Accompanying herself on the harp, Desdemona sings a song in which she remembers her friend Isaura, who died of grief ("Assisa appiè d'un salice"). Then, bidding Emilia farewell, she intones a prayer to heaven ("Deh calma, o Ciel").

Here we have a sad and desperate scene in which Rossini manages to achieve his usual perfect harmony between text and music. The main theme is presented four times with an accompanied *recitativo* after the third repeat. Both Rossi and Giuliani incorporate variations into the repetitions of the theme, but in the adaptation for guitar, the main theme is repeated three times, to the four times in Rossini. The repetition, with variations, of the theme is found in both Rossini and Giuliani, however, in the version for guitar the principal theme is repeated only three, as opposed to Rossini's four times. The idea of variations was therefore already a part of Rossini's work, its correspondent is found Giulani's two variations, the first written in semiquaver triplets and the second in groups of four demisemiquavers.

The last presentation of the theme is followed by a passage that, in Giuliani's work, appears to be just a brilliant transition with arpeggios in groups of four demisemiquavers whereas it's actually an original excerpt from Rossini, taken from the verses "Morì l'afflitta vergine / Morì che duol! L'ingrato... L'ingrato...". In the score, Giuliani does not give any indication about the true character of these demisemiquavers, but it is clear that to read it merely as a brilliant passage in arpeggios totally contradicts the spirit of the original lament, underlined by the semitones between B/C and A/B-flat in b. 113–116. Without the Rossinian original in mind, it is impossible to grasp the true spirit of the quotation.

Another telling example can be found in *Rossiniana* part V Op. 123, in the excerpt from the Sextet from Act II of *Cenerentola*, "Questo è un nodo avviluppato". Here is the Rossinian incipit:

The text reads (original Italian lyrics on page XXXI of this edition):

This is a tangled knot,
this is an intertwined group.
The more one grows, the more one becomes entangled
The more one uncoils, the more one comes together;
and meanwhile my head
flies, flies, and then stops;
through the murky air I grope
as I begin to lose my bearings.

It is the moment that precedes the dissolution of the narrative, in which the characters are brought to the highest point of shock and confusion. Prince Ramiro and his squire Dandini, having stumbled upon Don Magnifico's palace by accident - their carriage has overturned during a thunderstorm – are surprised to find the beautiful lady with whom the prince has fallen in love with at a party, disguised as a humble servant. Angelina, known as *Cenerentola*, is surprised to discover that the simple squire with whom she has fallen in love is in reality the prince himself. Don Magnifico and his daughters – the stepfather and stepsisters that treat Angela as if she were a servant – are shocked to see Prince Ramiro only show interest in *Cenerentola* rather than paying attention to them. Hence, the collective confusion, the "tangled knot" and "intertwined group" whose characters lose their certainties and in doing so, their individuality.

Rossini has conceived an interlaced group of six characters all of whom sing staccato. Moreover, every time the letter "r" appears it is rolled in an exaggerated manner, creating a truly surprising and comical effect.

Here is Giuliani's score, which leaves out any indication regarding the articulation, so that if the performer does not know the operatic model, they risk playing it legato, rendering the passage almost unrecognisable and completely reversing its meaning:

Accordingly, we must infer that the simplifications that Giuliani uses in his writing must be evaluated with care by the interpreter.

Tempo indications

In the following table, Rossini's original interpretive indications and the corresponding ones used by Giuliani in his *Rossiniana no. 1* Op. 119 can be seen:

Identification	Rossini's indications	Giuliani's indications
Introduction	-	Andantino
Otello "Assisa appiè d'un salice" – Act III	Adagio	-
L'italiana in Algeri "Languir per una bella" – Act I	Andantino	Andante grazioso

L'italiana in Algeri "Ai capricci della sorte" - Act I	Allegro vivace	Maestoso
L'italiana in Algeri "Pensa alla patria" - Act II	Allegro	Moderato
Armida "Amor! Possente nome!" - Act I	Allegro	Allegro vivace

A comparative analysis of the two composers should help us to better understand some of Giuliani's indications. His first Rossinian excerpt ("Assisa appiè d'un salice") is without any agogic indication; which could mean that the tempo given for the Introduction is also valid for the Rossinian theme. At the same time, there is a notable tempo gap between Adagio and Andantino, and even a consideration of the guitar's limited capabilities of sustaining sound compared with those of voices or an orchestra are not be enough to justify it. Moreover, in the successive excerpts, no differences of this size can be seen. If we admit that the Andantino in the Introduction also applies to "Assisa appiè d'un salice", an explanation can perhaps be found in a letter from Beethoven to his editor George Thomson of Edinburgh, dated Vienna, 19 February 1813. Thomson commissioned some Arias on Irish themes and the composer wrote him:

> If, at a future point, you decide you want to send me some Arias to be arranged and there are some "Andantinos", I beg of you to specify whether the Andantino in question should be understood as faster or slower than an Andante, because this term, like many others in music, has a meaning that is uncertain to the point where sometimes the Andantino is close to an Allegro while at other times it is played as if it were an Adagio.[1]

Even if this does not coincide with what we are taught today in music schools or what we find indicated on the tempo-scales found on metronomes, it is probable that from its introduction on, the *Rossiniana no. 1* should be played with a decidedly moderate tempo, even if majestic, in this way approaching the tempo envisaged by Rossini.

The other extracts do not pose any particular problems. Indeed, by examining the second and third quotes from *L'Italiana in Algeri* we can confirm the fact that, when Giuliani wrote Maestoso or Moderato, he meant Allegro maestoso and Allegro moderato.

Instrumental technique

In the first edition, Giuliani does not furnish any fingering indications for either hand: this was a widespread practice at the time because it was taken for granted that if someone was going to play an author's works, they would also be familiar with their methods or exercise books, and would hence have at their disposition all of the information necessary for performing their music. This is an idea that is disregarded today, due to the emergence, in the early 20th century, of a "one size fits all" concept of technique suitable for use with all repertoires. Since the 1960s, the gradual establishment of interpretative schools based on an historically informed approach, together with performances on original instruments have made it possible, in many cases, to set aside the idea of an all-encompassing technique in favour of a more specific approach. This is clear in the case of Giuliani's guitar music: whoever wants to play it without using anachronistic techniques has no choice but to carefully study his *Metodo* Op. 1 and *Esercizio* Op. 48.

One of the main obstacles to playing Giuliani's music today comes from a difference in left-hand technique: passing the left thumb behind the fingerboard in order to play certain notes on the sixth and fifth courses. This technique, widely described in numerous method books and strongly fought against by Fernando Sor, was possible at the time because the instruments, besides having a smaller body, also had narrower necks, with strings that were placed closer together. These organological traits favoured the use of the left thumb to fret the lower strings. This faded out with the arrival, followed by the diffusion throughout the world between the end of the 19th and beginning of the 20th century, of guitars

[1] Beethoven-Haus Bonn, HCB Br 258.

built according to Antonio Torres' model. Today, playing the modern guitar, we have to compensate with other fingers, which almost always complicates fingerings, creating sudden peaks of technical difficulties that were certainly not part of Giuliani's original intentions.

The scales, present as small fragments throughout all of Giuliani's output, found in their most developed form, especially as grace notes, in the *Rossiniane*, are deserving of special consideration.

For example, in the first *Rossiniana* in particular, they can be found at bar 56 in "Assisa appiè d'un salice", bar 4 in "Languir per una bella" as cadential grace notes, and then in the brilliant finale at b. 91 in "Cara, per te quest'anima". Next to these, there are numerous small fragments throughout the entire piece. Today, the tendency is to play all of these separated without the use of left hand slurs. This type of phrasing, however, was not considered to be in the best taste by the guitarists of the time. Our modern conception of studying scales is actually an extremely recent invention. It is not that scales are absent from 19th century methods, it is just that the authors of the era intended them more as studies for the various keys and their fingerings rather than exercises for developing brilliant virtuosity. Going back even further in time, we find that not a single baroque author ever wrote out a scale without adding left hand, or even multiple left hand, slurs.

Let us therefore take a look at what Napoléon Coste wrote in his revision of his teacher Fernando Sor's *Méthode*, in particular in the chapter entitled "Considérations sur les traits et leur doigté" (*traits* meaning scales):

> The notes must be played staccato [*editor's note*: articulation of every note without the use of slurring] because without it, there can be no brilliant execution, but it should only be considered as an aid to musical thought, called upon to give some respite and bite. A staccato passage that goes on for too long becomes flat and dry.

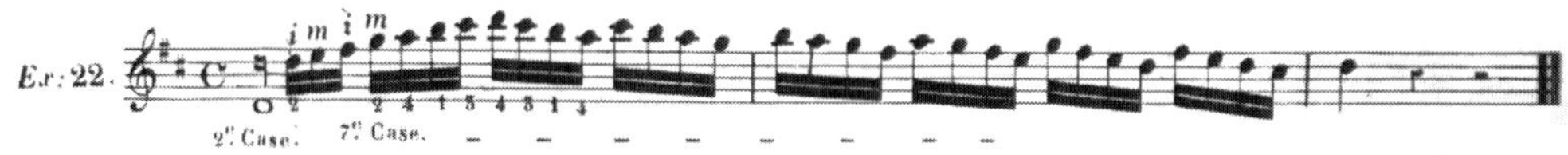

> Not introducing some legato notes would be lacking in taste. Here is how it should be played:[2]

Almost all the methods of the era, also, in addition to scales for the study of different keys and their fingering, present scales to be played slurred; a theme usually dealt with in the paragraphs devoted to the slurs themselves, or even in those dedicated to ornaments, a relic of the baroque guitar tablature books where the slur was never described as a technical expedient but rather as an embellishment, an "agrément".

Giuliani himself, in his *Esercizio per la Chitarra contenente 14 pezzi della maggiore difficoltà diversi preludi, Passaggi, ed Assolo* opus 48, a compendium of his instrumental techniques, presents a number of studies rich in scales (some taken from some of his most important works) such as nos. 4, 7, 9, 11, 16, 18, 22 and 23. Not a single one presents a scale without at least one slur.

Here is an example:

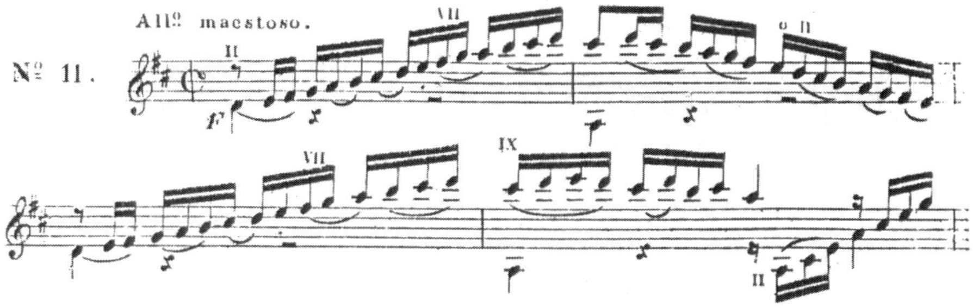

[2] Fernando Sor, *Méthode complète pour Guitare – Revue et augmentée de nombreux examples avec une notice sur la septième corde par N. Coste*, Paris 1845, p. 21.

In cases like this, the modern guitarist can decide to make a different choice and, if they have the technical means, omit all slurs. In this case, they must take into account that passages in scales require a particular fluidity and lightness of playing so as not to appear heavy or clumsy.

Finally, it seems useful to make a brief mention of the use of artificial harmonics in the Introduction of *Rossiniana no. 1*. We are dealing with an extremely suggestive *recitativo* where an alternation between harmonic and natural sounds imitates a *recitativo* accompanied by orchestra. It should be noted that this is one of the very rare cases in which Giuliani uses artificial harmonics. It is easy to imagine that his time spent with Paganini, known for having made great strides in this technique on the violin, might have had some influence on this choice. In general, the guitarists of the early 19th century only used natural harmonics, with the exception of Fernando Sor who, in his *Grande Sonata* Op. 25 and *Fantasia* Op. 16, borrowed the "double doigté" [double fingering] technique used by Paganini.

> One can also employ the system used on the violin, which consists of placing the first finger on the tone we would like to have heard (in other words, its lower octave), then stretching the fourth finger to the fourth above the note being held by the first finger. Put the finger on the string at the fret above this fourth, pluck and your sound will be produced.[3]

The *recitativo* in *Rossiniana n. 1* cannot be played with this technique because it calls for a D-sharp that is not realisable on the guitar without a *scordatura* of the sixth course. Here is a description taken from Sor's *Méthode* in the revised edition of Napoléon Coste, of how to realise octavated harmonics:

> One can also play double-fingered harmonics by placing the fingers as usual and always leaving an interval of twelve frets between the left hand which places the sounds and the index finger of the right hand that generates them, by placing themselves lightly on the string while the thumb plucks it. In this way, one can play a series of semitones, impossible to play in the way described earlier.[4]

This technique is slightly different from the one usually used today in which the harmonic sound is produced by an index/ring finger combination rather than index/thumb.

In conclusion

The guidelines that we have attempted to give here, which are only a few examples of the problems posed by the *Rossiniane*, are not of a prescriptive character, and any guitarist with a well-developed modern technique can perform the *Rossiniane*, as well as all the repertoire of the early nineteenth century, without the aid of historical techniques. We believe, however, that this choice can only be made consciously by first taking note of how and for what type of instrumentality these works were conceived. The choice of technique and fingerings belongs to the most personal sphere of the performer, who is an accomplished artist only if he acts in complete freedom, a freedom that is truly such only if accompanied by knowledge.

Turin, 4 January 2021
Frédéric Zigante

[3] *ibid*, p. 43.
[4] *ibid*, p. 42.

Le Rossiniane, parte I
opus 119

Mauro Giuliani

INTRODUZIONE
Andantino

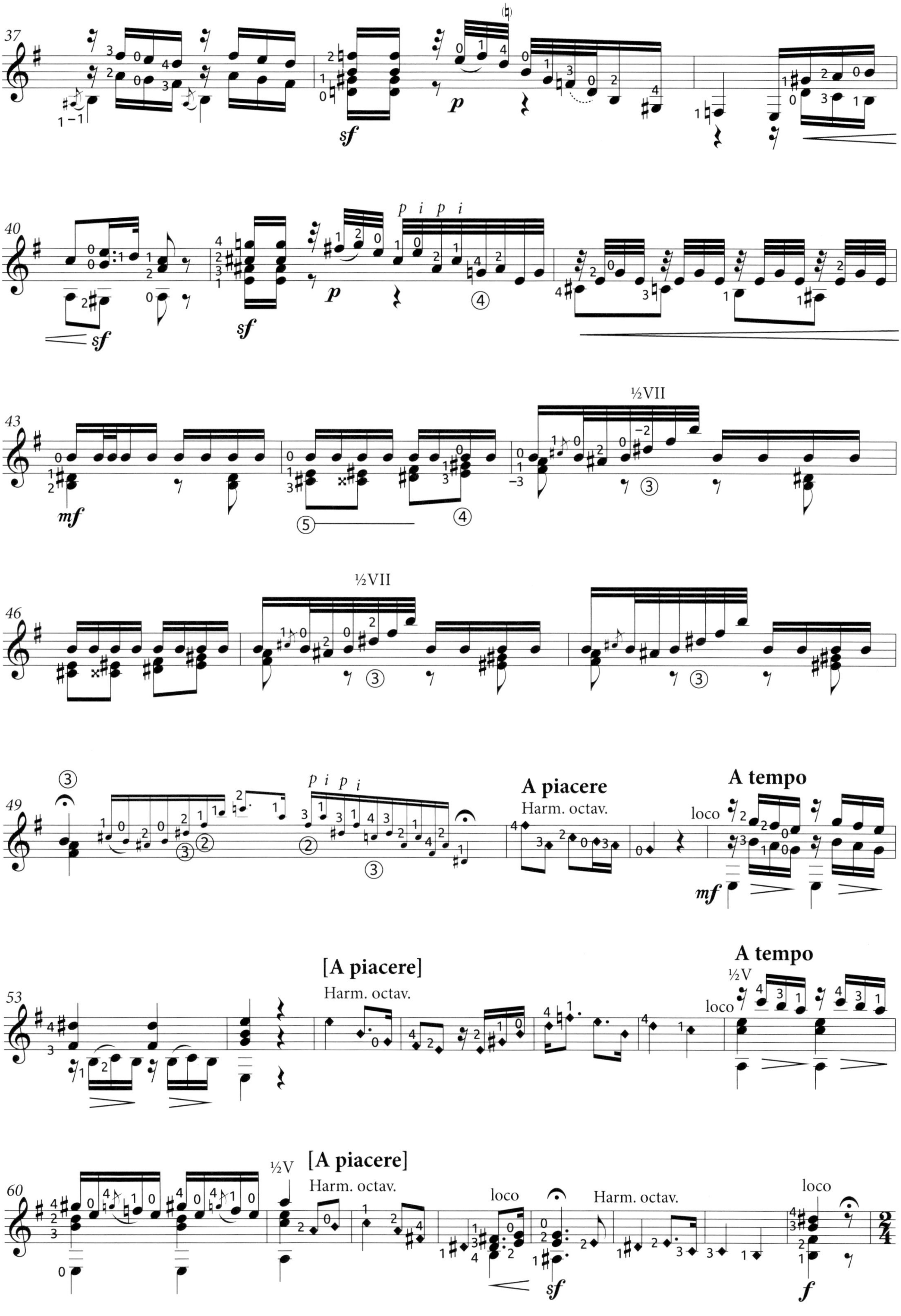
½VII
½VII
A piacere
Harm. octav.
A tempo
loco
[A piacere]
Harm. octav.
A tempo
½V
loco
½V
[A piacere]
Harm. octav.
loco
Harm. octav.
loco

"Assisa appiè d'un salice", Scena e Romanza, *Otello*, Atto III (Desdemona).

III
VII
½I
½V
VII

"Languir per una bella", Cavatina, *L'Italiana in Algeri*, Atto I (Lindoro).

Andante grazioso

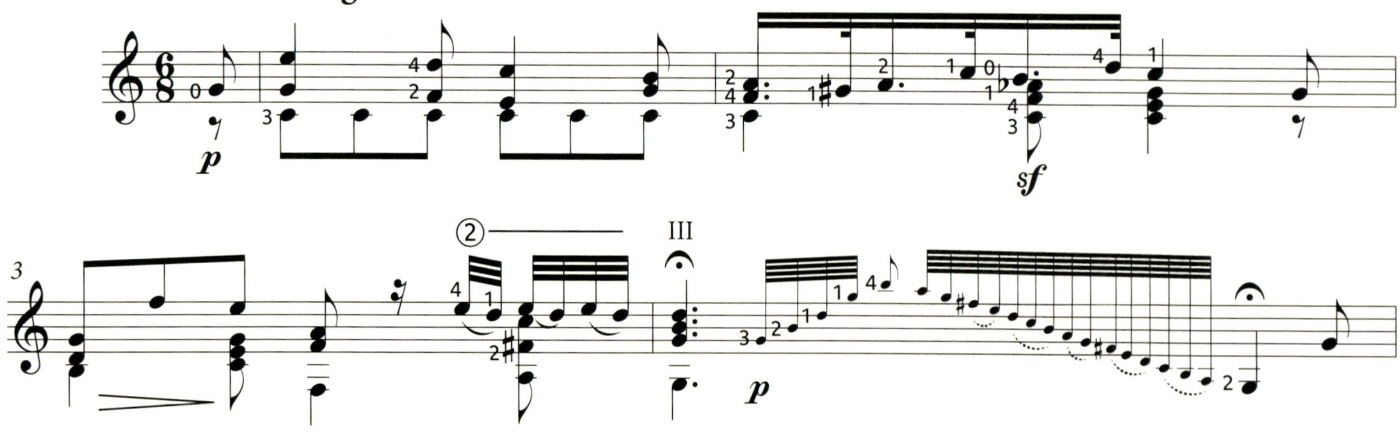

5
I
½III
mf
f
(6)
p
8
mf
10
½VII
f
12
mf
14
½I
½V
f
p
(15)
½VII

Più mosso
p i m
½I
½V
½III
½VII
mf
sf
f
p

½I
p cresc.
decrescendo
mf
f
II
sf
p

"Con gran piacer, ben mio", Duetto "Ai capricci della sorte" L'Italiana in Algeri, Atto I (Isabella - Taddeo).

cresc. poco a poco
(cresc. poco a poco)
diminuendo e slargandosi

"Caro, caro ti parlo in petto", Rondò "Pensa alla patria", *L'Italiana in Algeri*, Atto II (Isabella - Coro).

"Cara, per te quest'anima", Duetto "Amor! Possente nome", *Armida*, Atto I (Armida - Rinaldo).

Allegro vivace

p
mf
II
p
mf
II
f

III
VI
½III
½VIII
sf
sf

75
sf
sf
77
79
IV
81
84
½III
½III
½III
87
89
91
½VII

½VII
½VII
½VII
½VII

Le Rossiniane, parte II
opus 120

Mauro Giuliani

INTRODUZIONE

Sostenuto

p i m a m i p

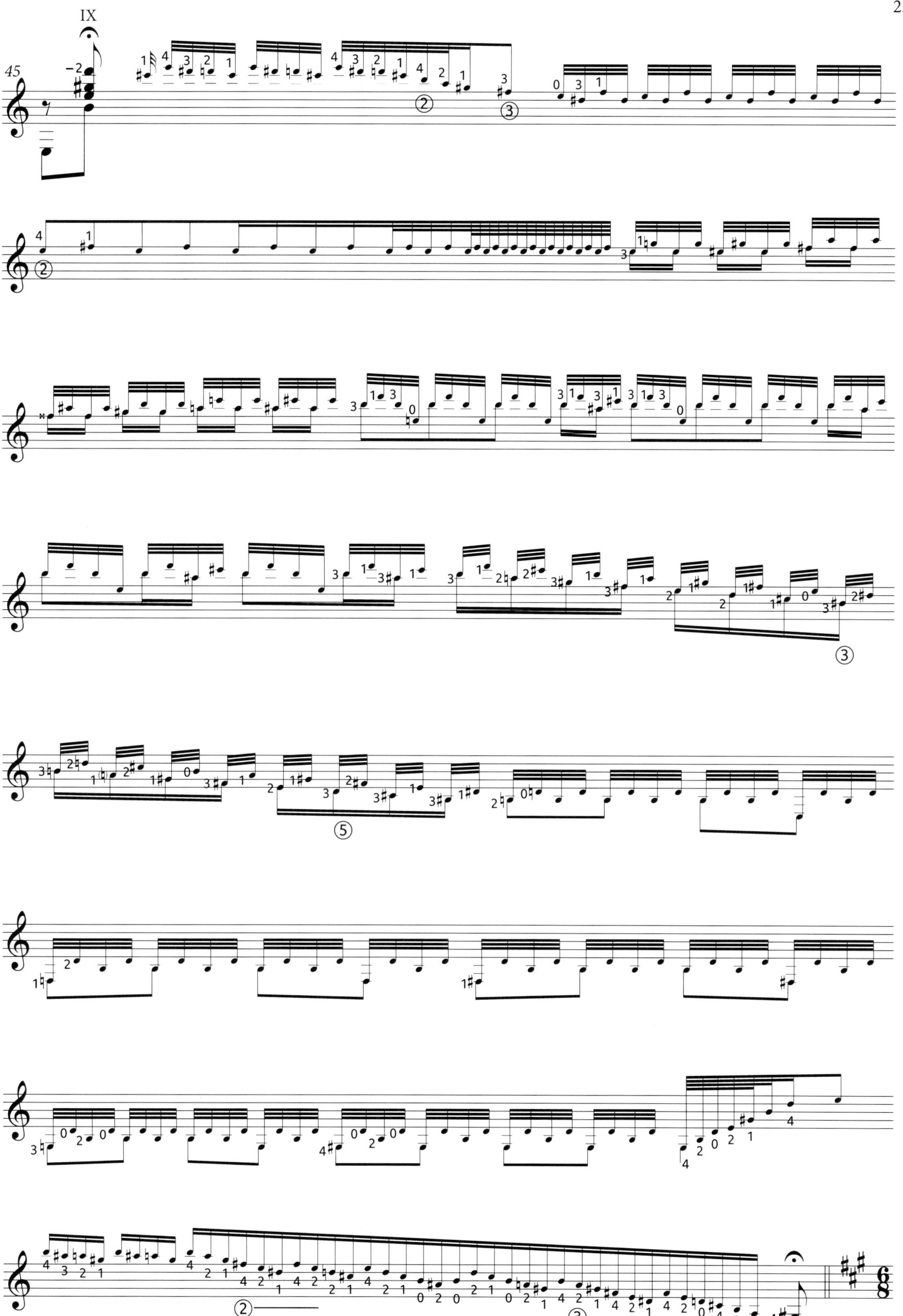
45
IX

"Deh! calma, o ciel", Scena e Romanza, *Otello*, Atto II (Desdemona).

Andantino sostenuto

✶ La legatura vale per entrambe le note del bicordo.

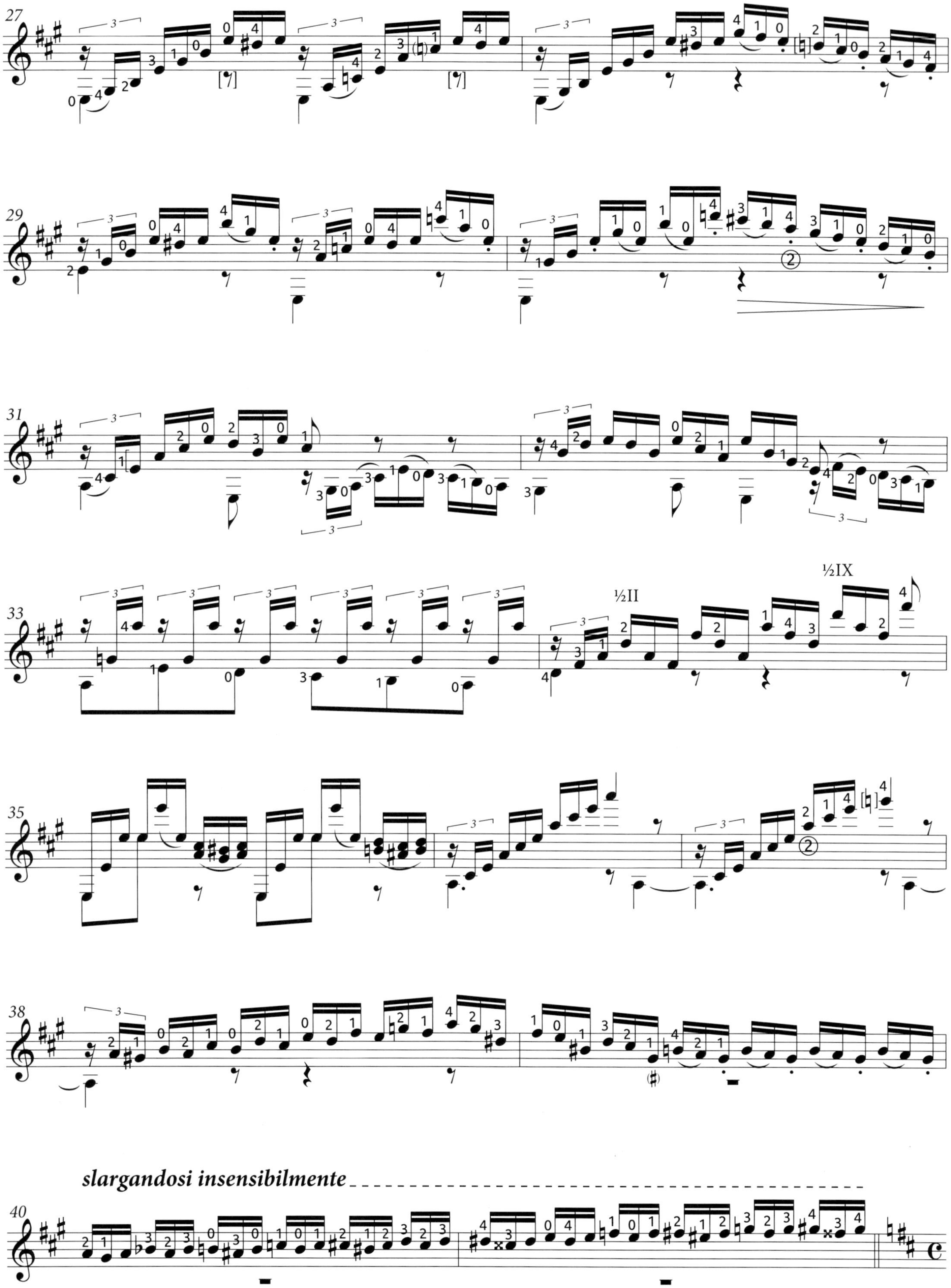
½II
½IX
slargandosi insensibilmente

"Arditi all'ire", Cavatina "Ah! no: sia questo", *Armida*, Atto I (Goffredo).

Più mosso
½II
[ff]
[pp]
½VII
[ff]
[mf]
[mf]
½VII
[cresc.
f]
½II
1.
[p]
2. ½II

45
48
II
III
X
i p i
p
51
54
IX
a m i
p
½II
½IV
57
½II
½II
60
63

"Non più mesta accanto al fuoco", Rondò, *La Cenerentola*, Finale Atto II (Cenerentola).

VARIAZIONE
½II
½II
½II
II

½II
p

43
45
47
49
51
53
55

"Di piacer mi balza il cor", Cavatina, *La Gazza Ladra*, Atto I (Ninetta).

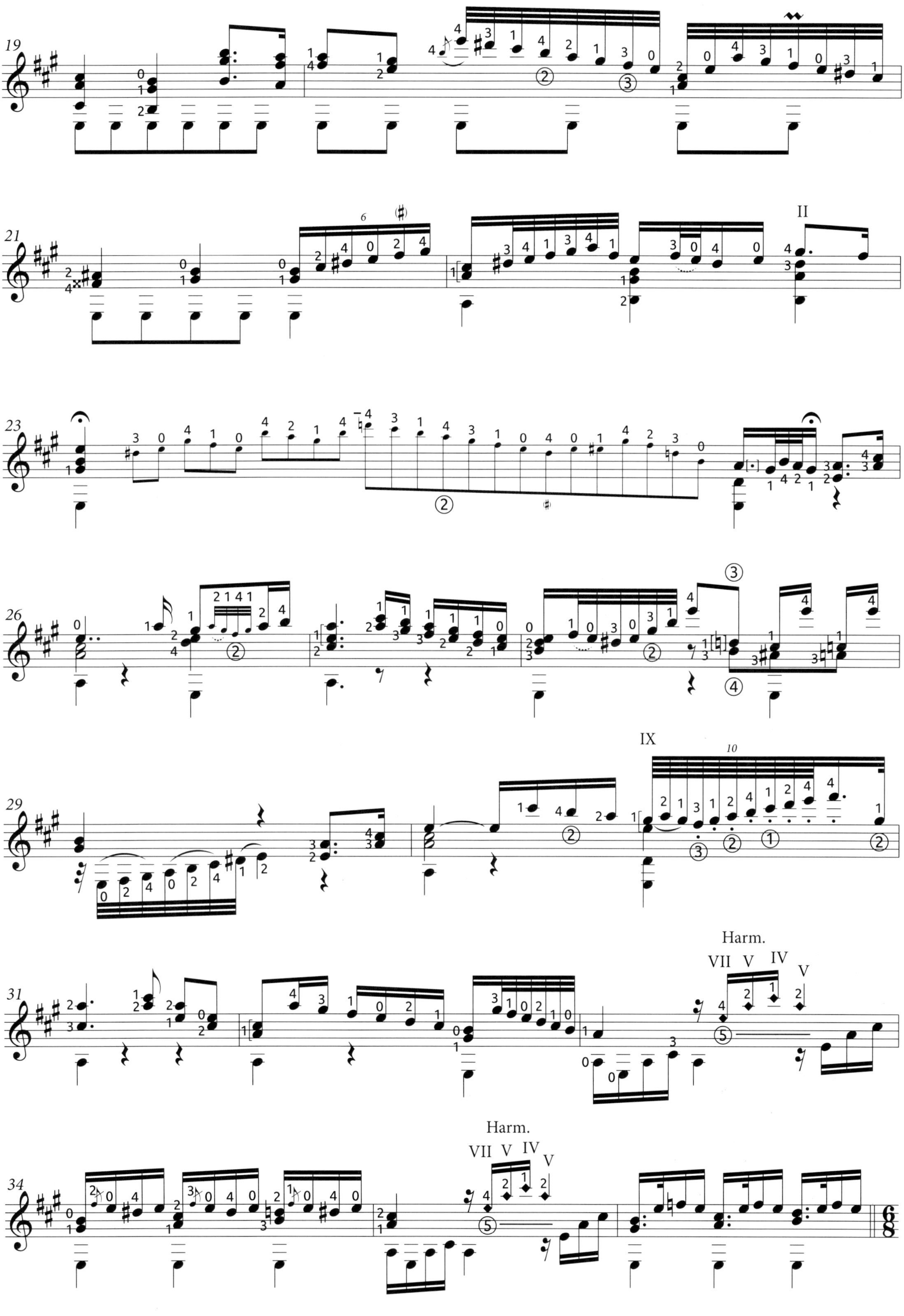
II
IX
Harm.
VII V IV V
Harm.
VII V IV V

"Fertilissima regina", Cavatina, "Miei rampolli femminini", *La Cenerentola*, Atto I (Don Magnifico).

Allegretto

✶ Le legature si intendono doppie cioè riferite ad entrambe le note.

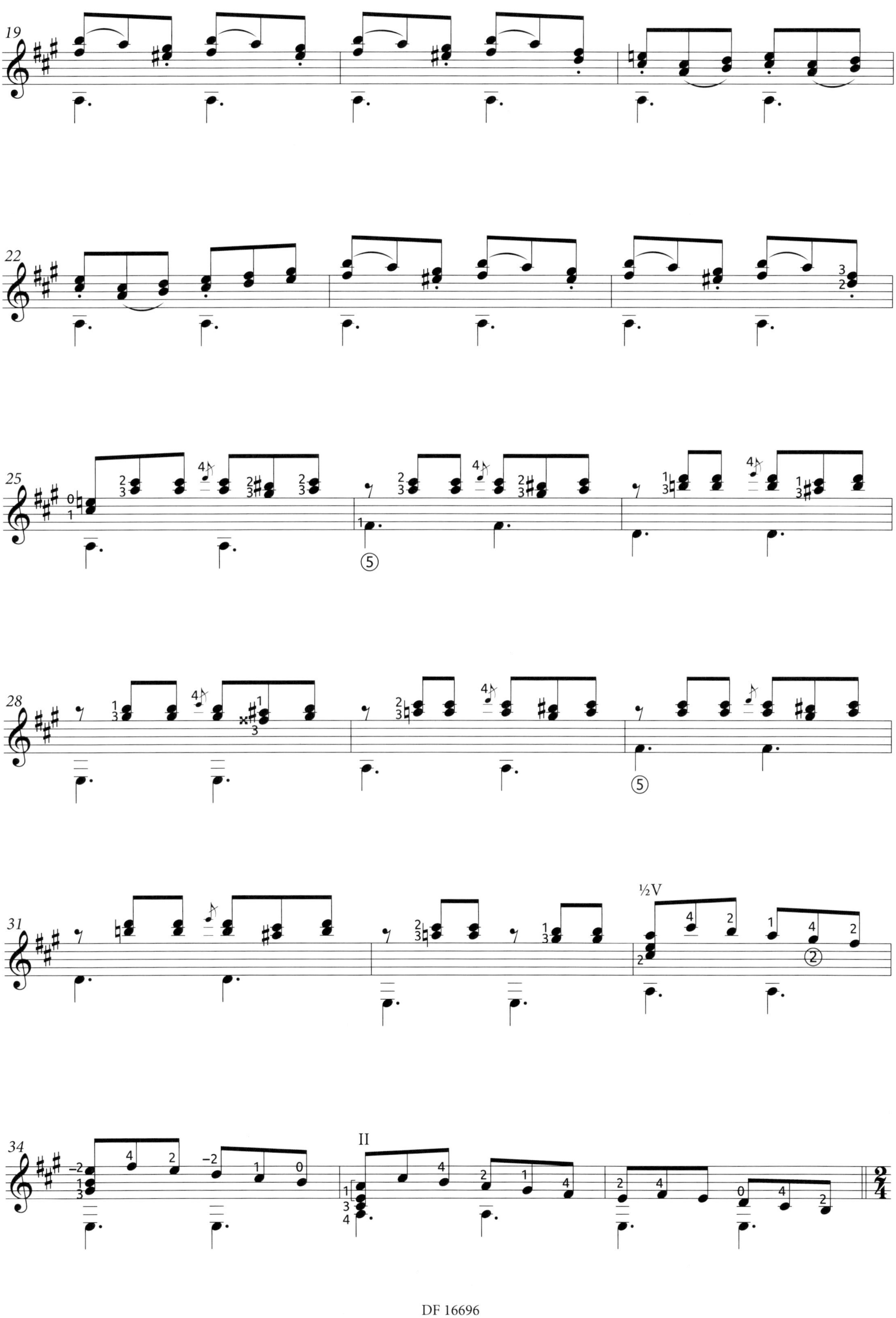

Più mosso
II
m i p a
pp
½V
½IX
½IX
p i a
p i m
½II
½II

½I
½V
½IX
½V

Mauro Giuliani, *Rossiniana n° 3* opus 121, manuscrit autographe de l'auteur, Staatsbibliothek de Berlin – Preußischer Kulturbesitz (Mus. Ms. 7660/1, sans date).

Le Rossiniane, parte III
opus 121

Mauro Giuliani

INTRODUZIONE

Maestoso sostenuto

Parte orchestrale, Scena e Duetto "Un soave non so che", *La Cenerentola*, Atto I (Cenerentola - Don Ramiro).

"Oh mattutini albori!", Cavatina, *La Donna del Lago*, Atto I (Elena).

INTRODUZIONE E DUETTO DE « LA DONNA DEL LAGO »

VARIAZIONE

½II
½X

Allegro vivace
p
crescendo
insensibilmente
a poco
a poco
ff
½V
p
f
p
f
ad libitum
p
A tempo
ad libitum
A tempo
mf

"Questo vecchio maledetto", Quintetto "Oh! Guardate", *Il Turco in Italia*, Atto II (Fiorilla - Zaida - Don Narciso - Don Geronio - Selim).

QUINTETTO DEL « TURCO IN ITALIA »

THEMA

VARIAZIONE

Più lento
II
cresc.
II
½II
II
1.

61
p
mf
65
cresc. poco a poco
69
p
cresc. poco a poco
VI
73
f
ff
½V
76
p
mf
80
cresc. poco a poco
84
p
cresc. poco a poco
88
f
ff

91
95
98
tenute
cresc.
101
104
cresc.
107
tenute
cresc.
mf
110
113

"Sorte! Secondami", Introduzione, *Zelmira*, Atto I (Antenore).

QUARTETTO DELL'OPERA « ZELMIRA »

Allegro

dolce
cresc.
f
VARIAZIONE
p i p
p
f
p
f
sf
p
f

III
mf
cresc.
f
½III
III
f p
cresc.
f p
cresc.
mf
II
f p
i p i
cresc.
f p
cresc.

mf
p i p i
mf
diminuendo e slargandosi insensibilmente
p

"Cinto di nuovi allori", Introduzione, *Ricciardo e Zoraide*, Atto I (Coro). Il tema è esposto anche nella Sinfonia dell'opera.

MARCIA DELL'OPERA « RICCIARDO E ZORAIDE »

Maestoso

VARIAZIONE 1

II
[in nona posizione]
VARIAZIONE 2
mf
½V
½VII
½IX
f

a m i p i p i
II
II
mf
f
1.
2.
sf
sf
sf
sf
dolce

67
69
½II
½III
½V
½VII
cresc.
71
73
75
dolce
77
79
½V
½VII
cresc.

½II
½VII
½V
½IX
½IX
½IX
½V

Mauro Giuliani, *Rossiniana n° 6* opus 124, manuscrit non autographe, Biblioteca del Conservatorio di Musica Giuseppe Verdi de Milan, Fondo Noseda (M-15-7-5, sans date).

Le Rossiniane, parte IV
opus 122

Mauro Giuliani

½II
½II
½II
½II
II

Allegro maestoso
I
IV
VII
sf

[p]
[crescendo a poco a poco]
[cresc.]
½V
½IX

"Forse un dì conoscerete", Duetto, *La Gazza Ladra*, Atto II (Ninetta - Giannetto).

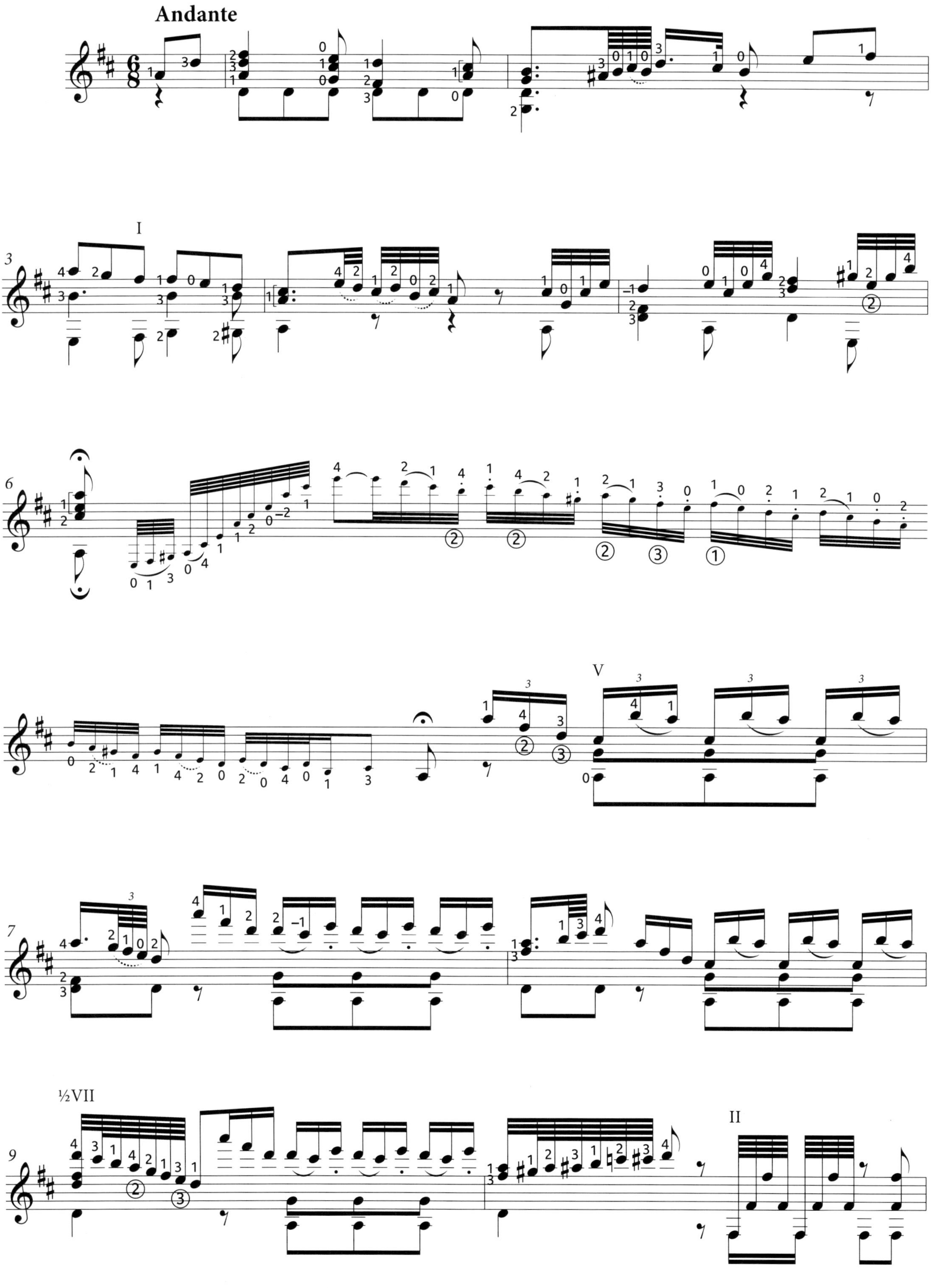

III
II
½VII
½V
½IV

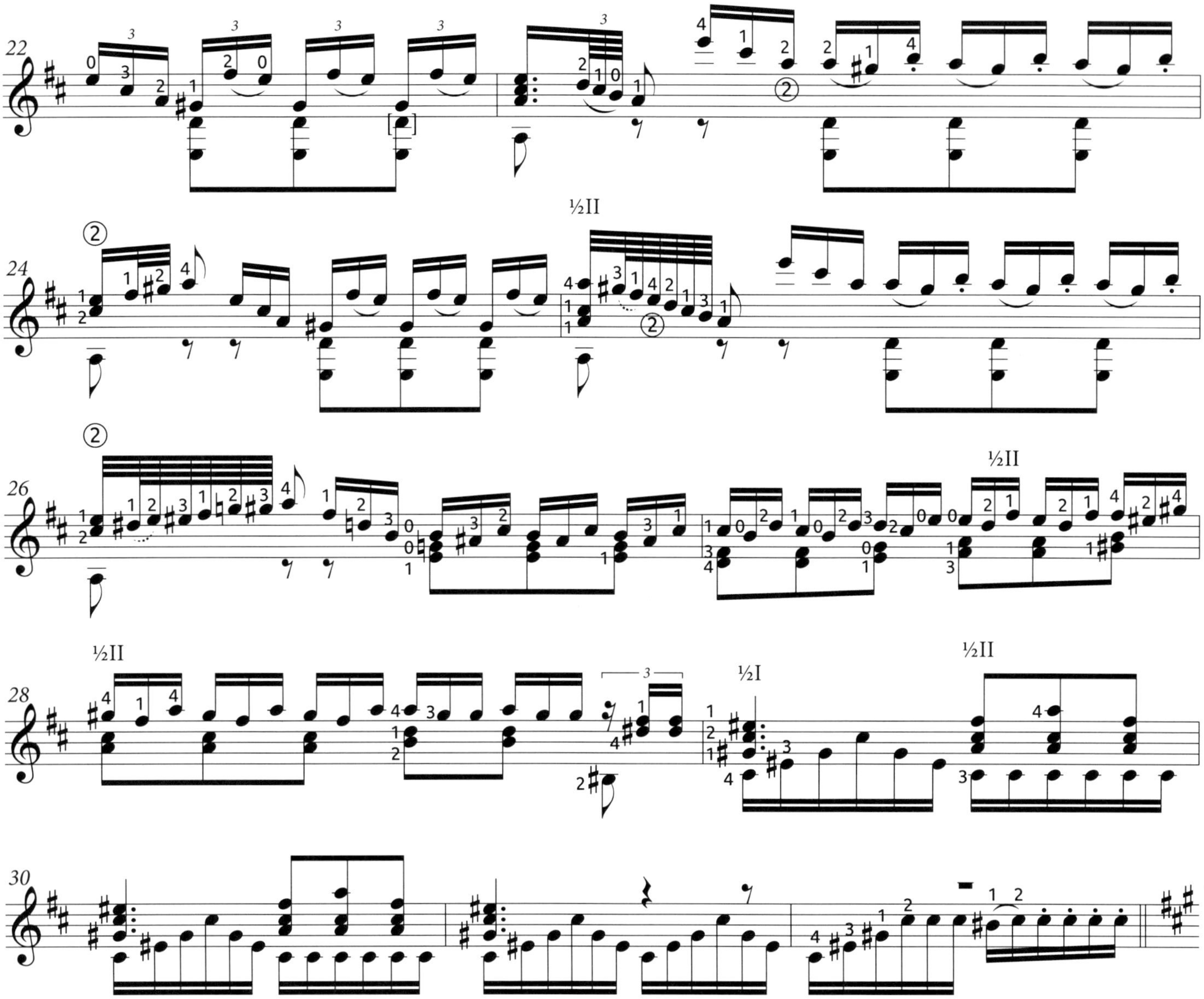

"Mi cadono le lagrime", Duetto "E ben, per mia memoria", *La Gazza Ladra*, Atto II (Ninetta - Pippo).

[Andantino pastoso]

II
½V
½IX

Allegro spiritoso

IX
a due corde
a due corde

Parte orchestrale, Duetto “Ah se puoi così lasciarmi”, *Mosè in Egitto*, Atto I (Osiride - Elcia).

Allegro maestoso

½IX
½IX
VARIAZIONE 1
½X

VARIAZIONE 2

½II
½II
½II

96
99
102
II
104
107
109
111
114

"Piacer egual gli Dei", Finale, *Matilde di Shabran*, Atto I (Corradino).
Il tema è presente anche nella Sinfonia.

“Voglio ascoltar”, Introduzione, *La Pietra del Paragone*, Atto I
(Baronessa - Fulvia - Pacucio - Fabrizio - Coro).

Più mosso

VII
½VII
VII
½VII
VII
II
II
½VII
½VII
i m p
i m a
i a p
i a p
i m a
p

½VII
VII
½VII
VII
½VII
VII
II
II
½VII
½VII

½II
½II
½X
III
½VII
½II
½VII
½X

Mauro Giuliani, *Rossiniana n° 6* opus 122, manuscrit non autographe, Biblioteca del Conservatorio di Musica Giuseppe Verdi de Milan, Fondo Noseda (M-15-7-3, sans date).

Le Rossiniane, parte V
opus 123

Mauro Giuliani

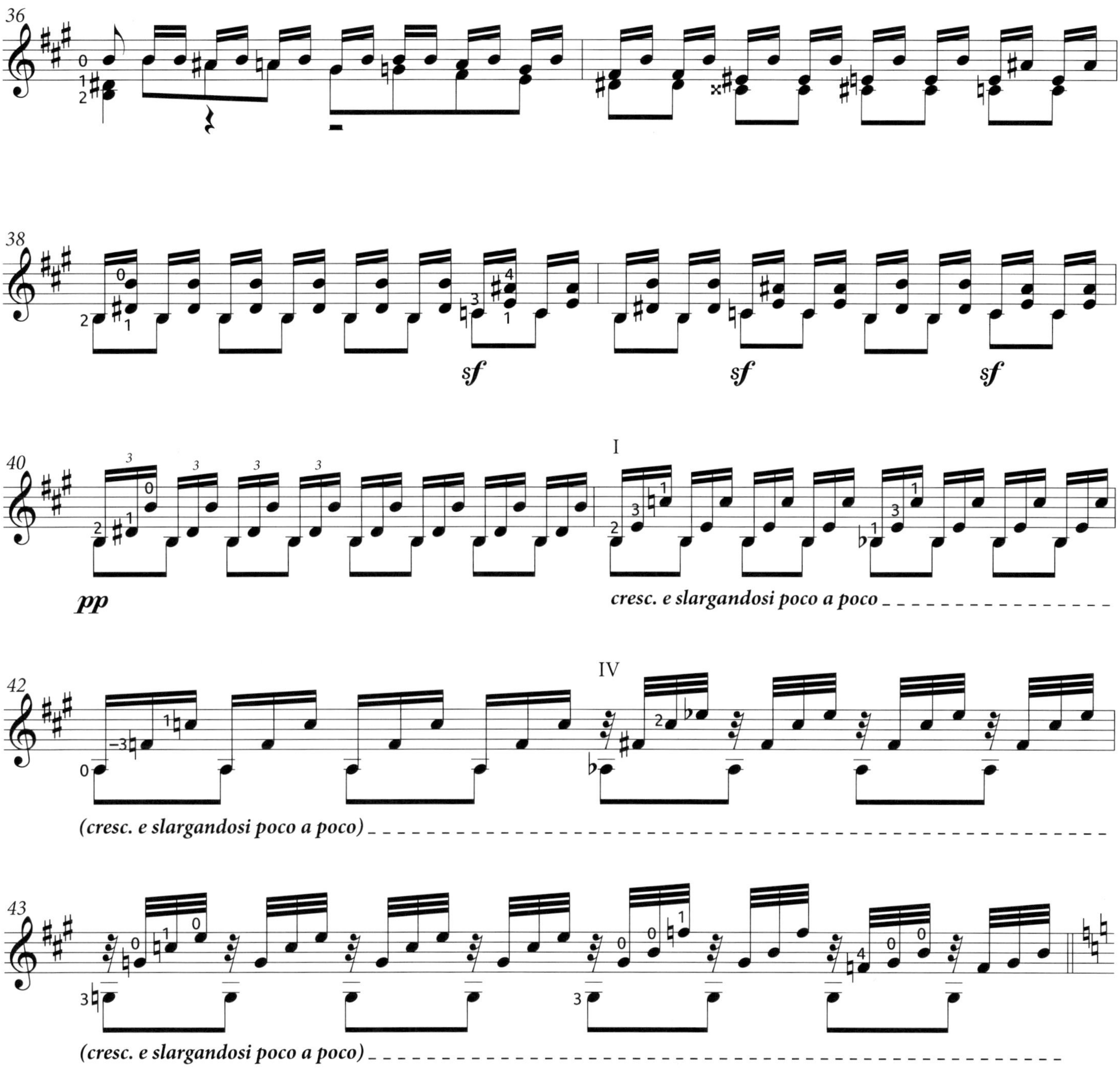

Parte orchestrale, Finale, *Il Barbiere di Siviglia*, Atto I.

Maestoso

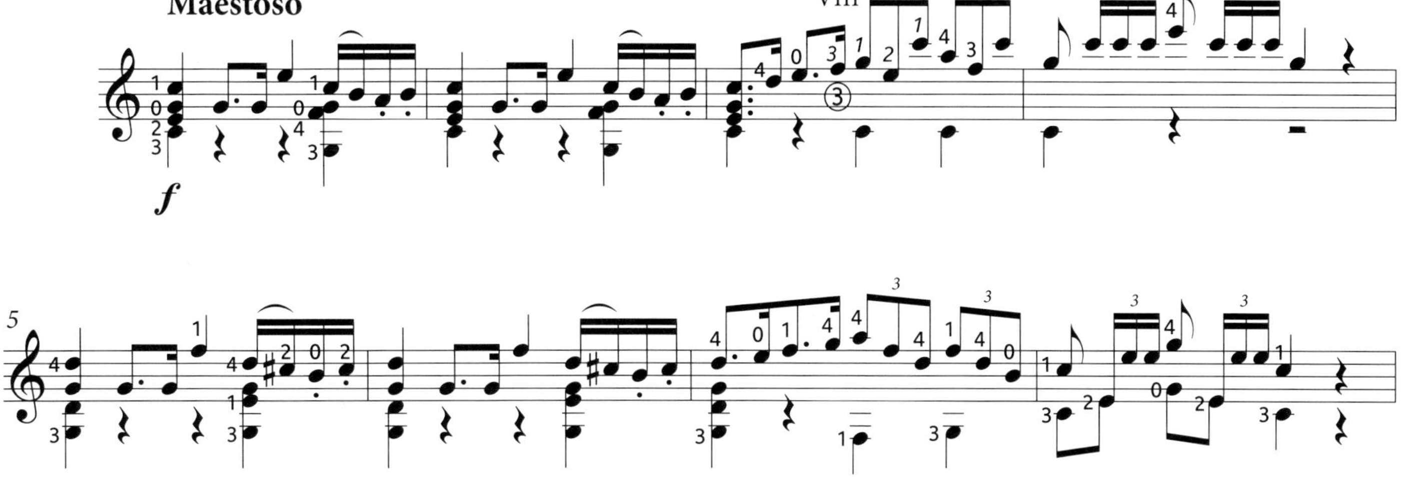

VIII
VARIAZIONE
½VIII

"E tu quando tornerai", Cavatina "Come dolce all'alma mia", *Tancredi*, Atto I (Amenaide).

Andantino mosso

dolce
II

"Una voce poco fa", Cavatina, *Il Barbiere di Siviglia*, Atto I (Rosina).

(cresc. poco a poco)
II
½II
slargandosi poco a poco

"Questo è un nodo avviluppato", Sestetto "Siete voi?", *La Cenerentola*, Atto II (Clorinda - Tisbe - Cenerentola - Don Ramiro - Dandini - Don Magnifico).

Andante sostenuto

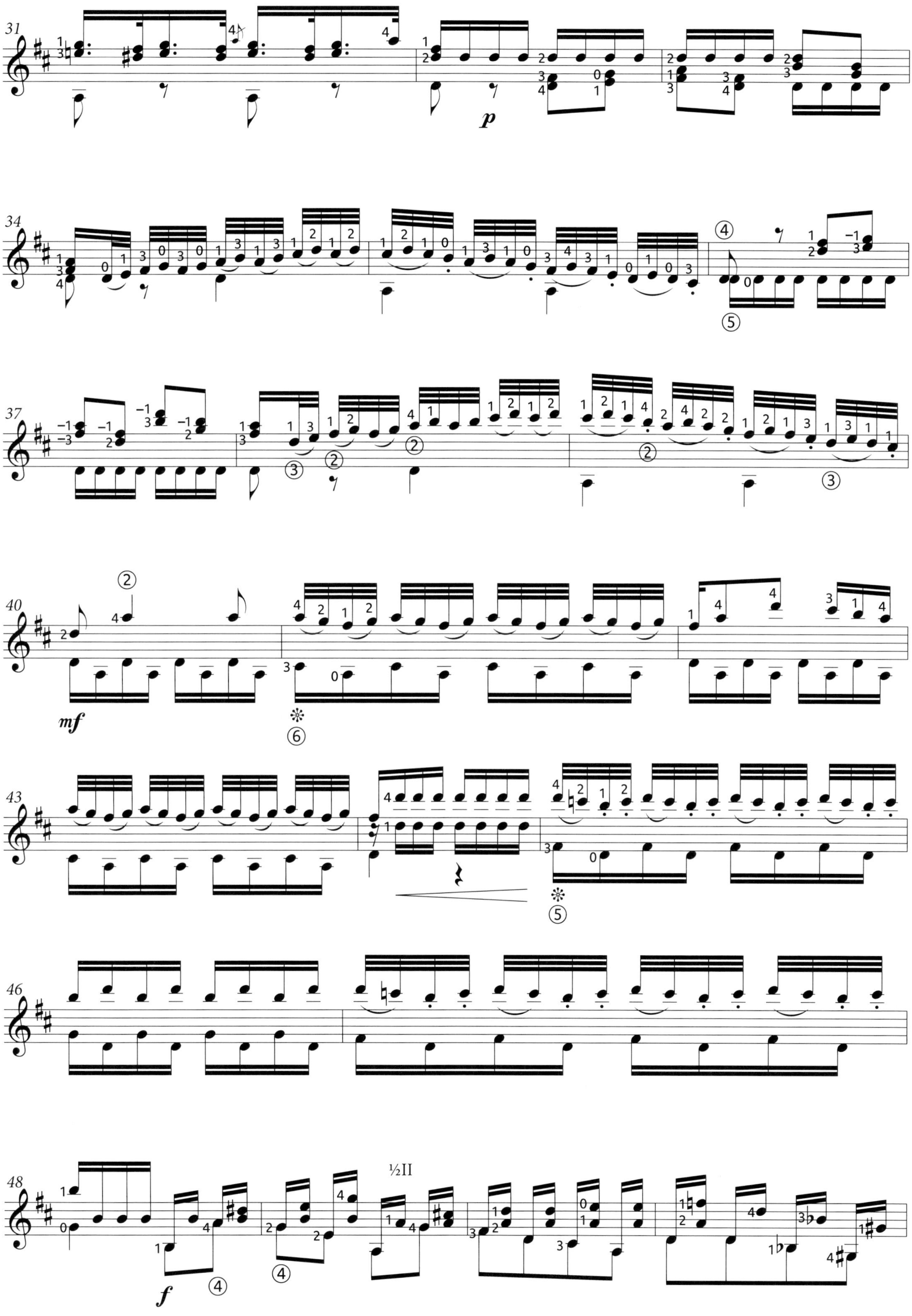
½II

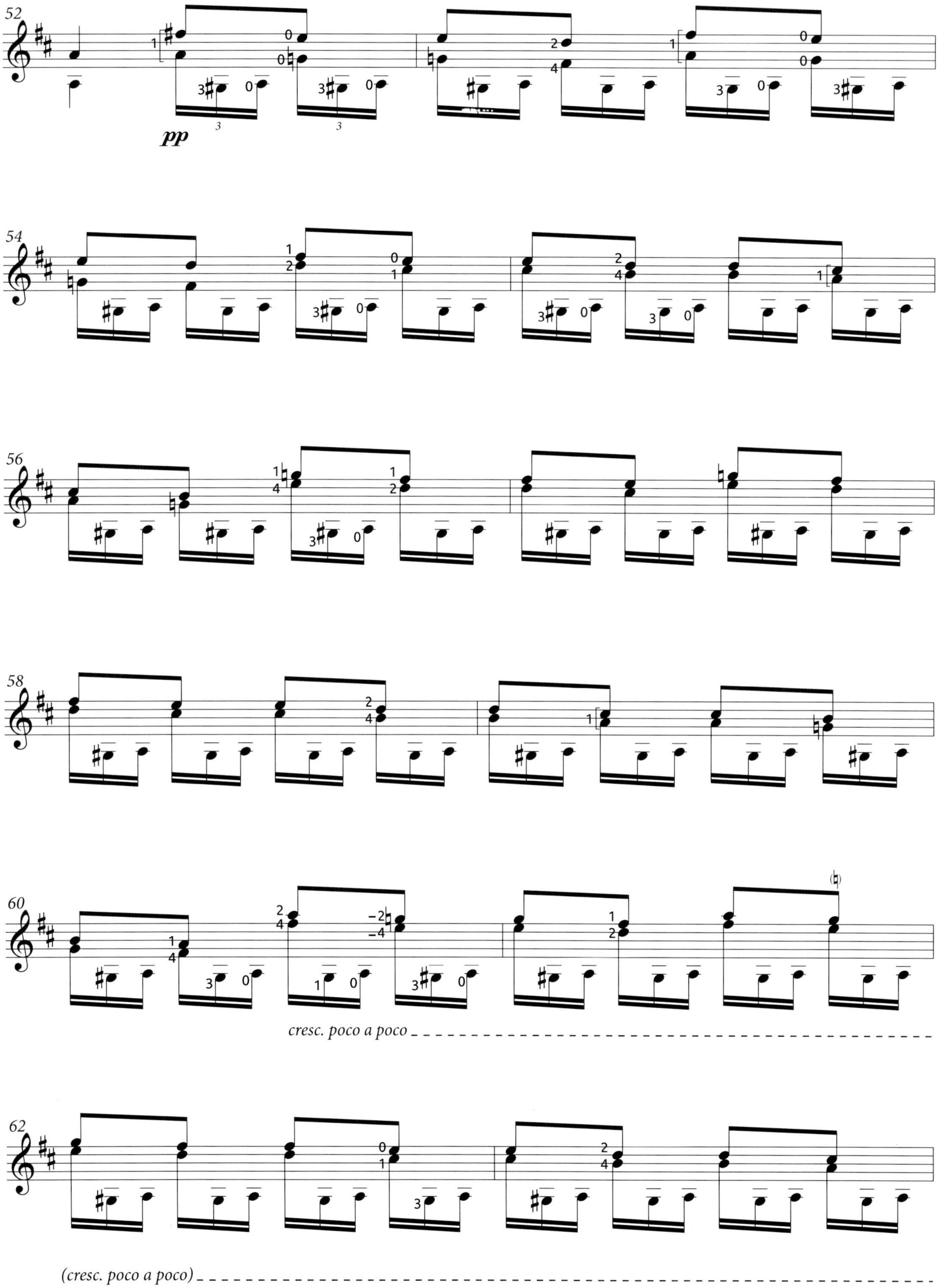
pp
cresc. poco a poco
(cresc. poco a poco)

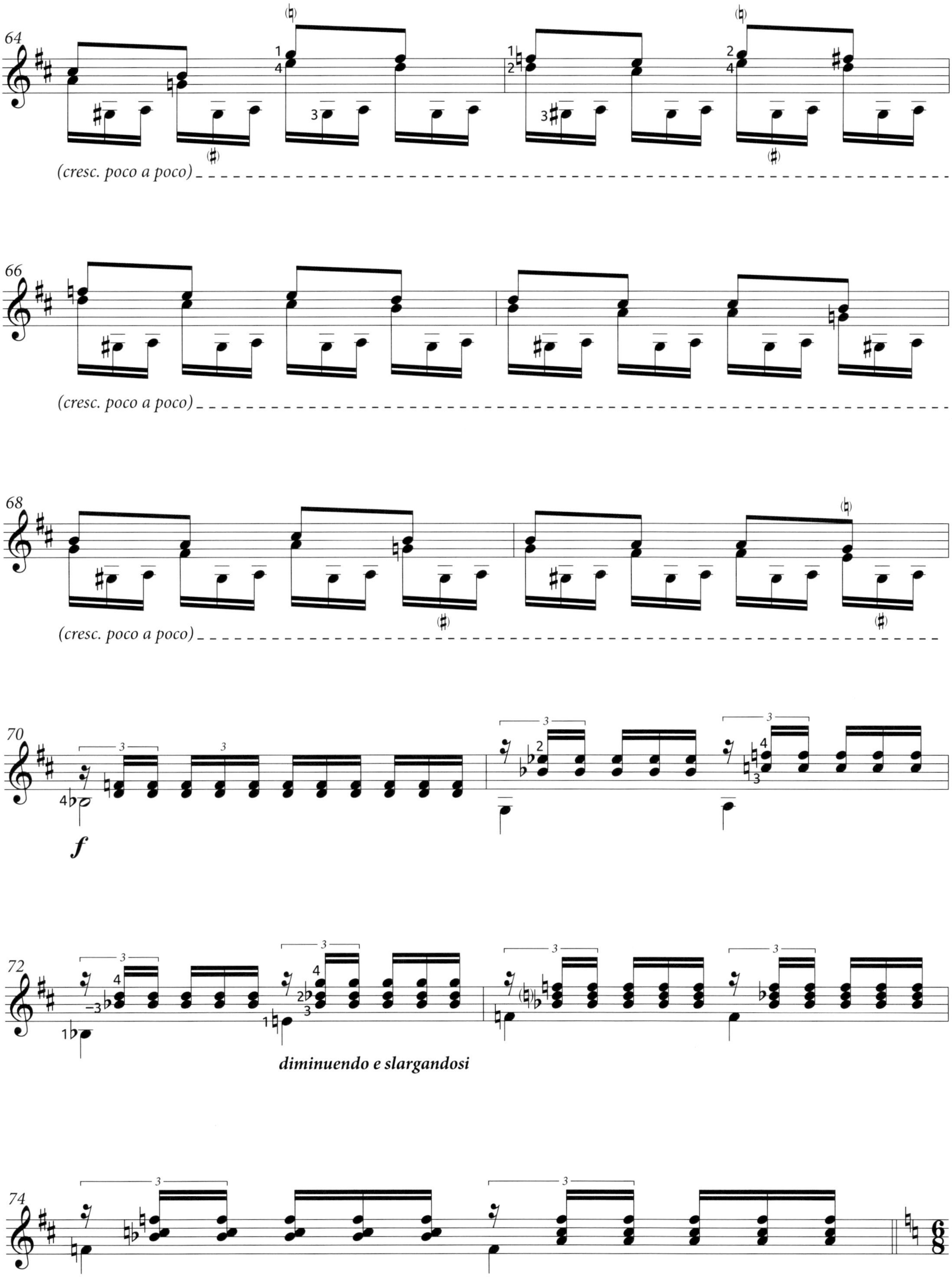
(cresc. poco a poco)
(cresc. poco a poco)
(cresc. poco a poco)
f
diminuendo e slargandosi

"Là seduto l'amato Giannetto", Introduzione, *La Gazza Ladra*, Atto I (Fabrizio).

Allegro

* *barré obliquo sui tasti V e VI*

pp
cresc. poco a poco
(cresc. poco a poco)
(cresc. poco a poco)
ff
p

"Zitti zitti, piano piano", Terzetto "Ah! qual colpo",
Il Barbiere di Siviglia, Atto II (Rosina - Conte - Figaro).

ritardando
A tempo

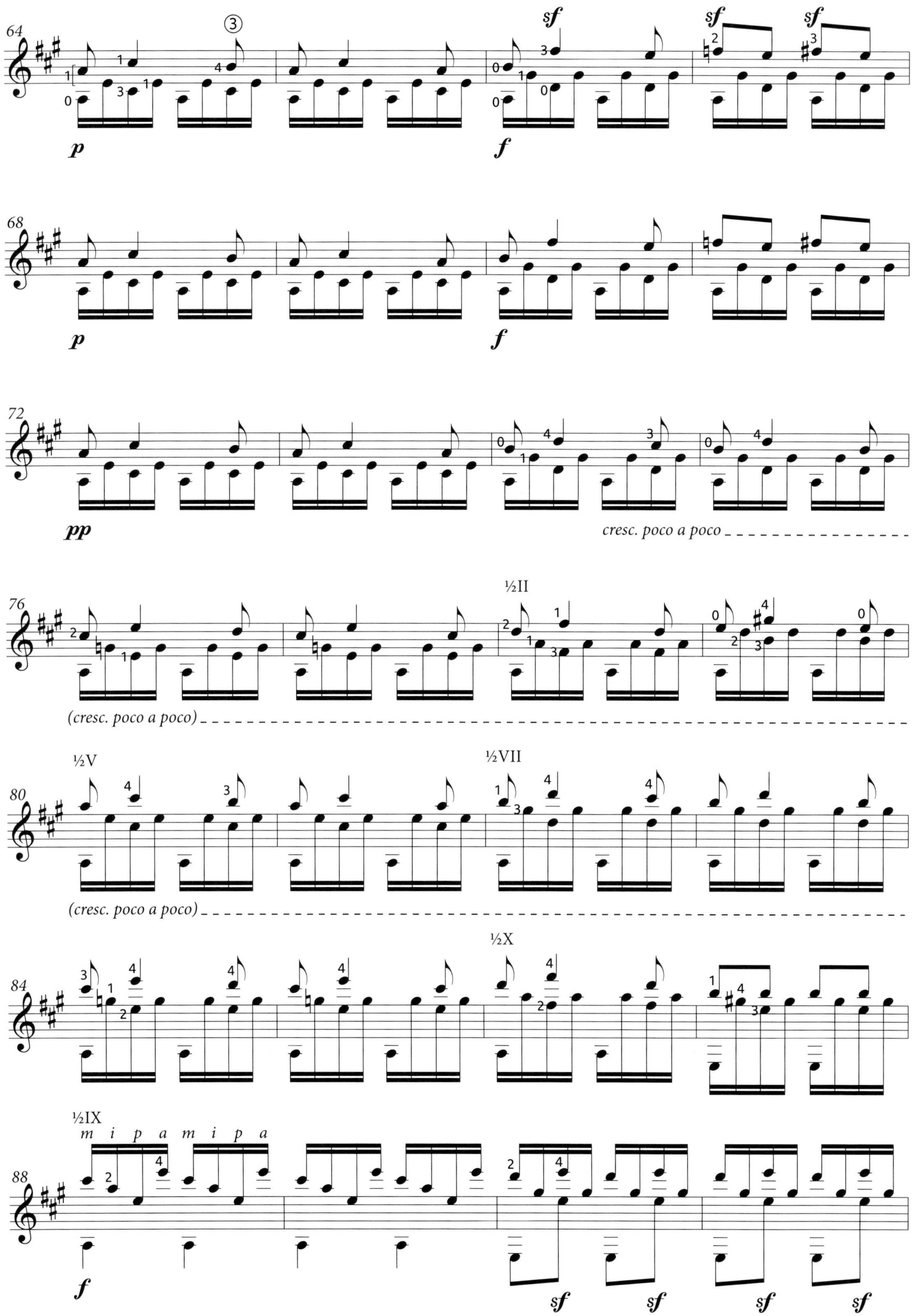
64
③
sf
sf
sf
p
f
68
p
f
72
pp
cresc. poco a poco
76
½II
(cresc. poco a poco)
½V
80
½VII
(cresc. poco a poco)
84
½X
½IX
m i p a m i p a
88
f
sf
sf
sf
sf

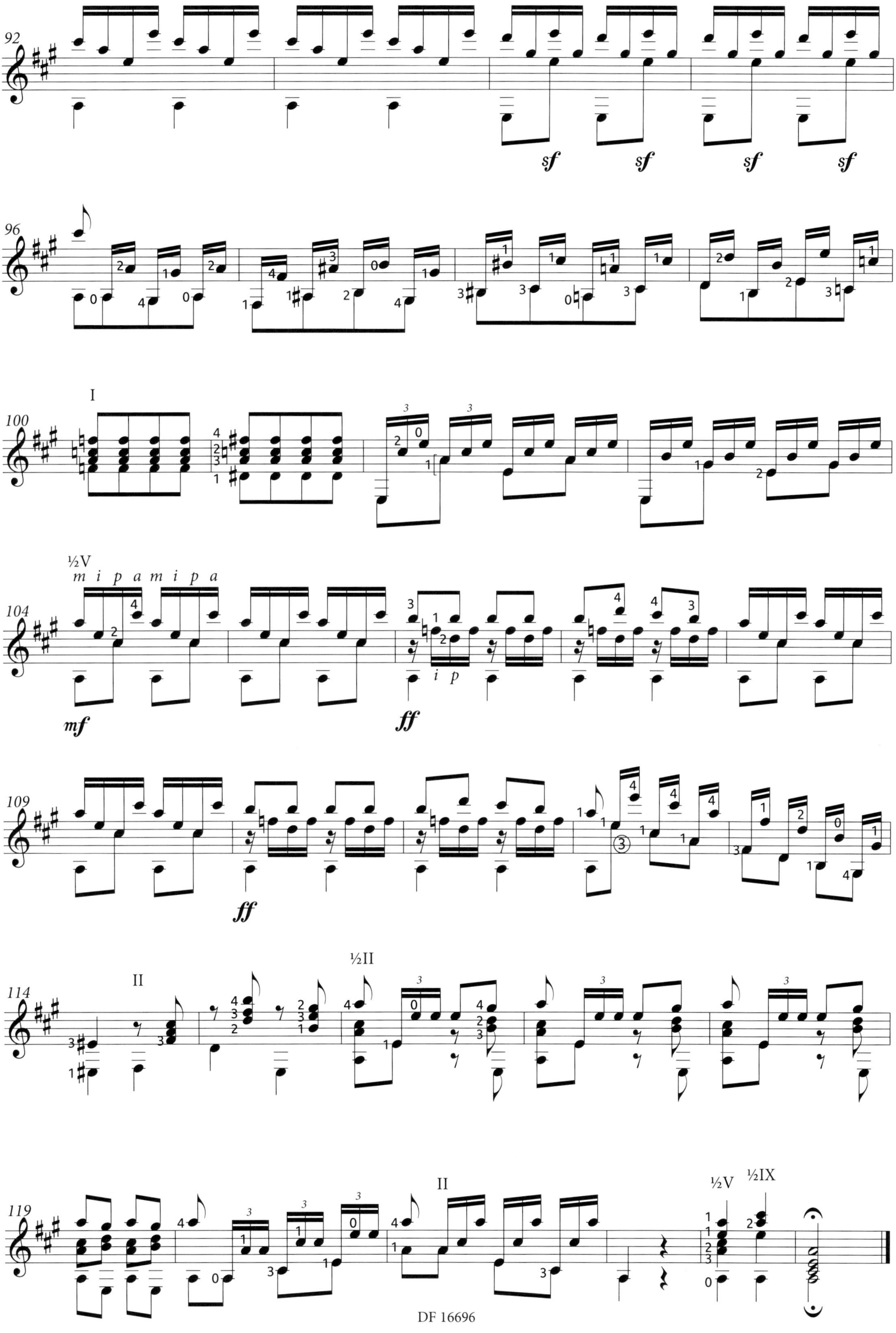
92
sf sf sf sf
96
100
I
½V
m i p a m i p a
104
mf
i p
ff
109
ff
114
II
½II
119
II
½V
½IX

Le Rossiniane, parte VI
opus 124

Mauro Giuliani

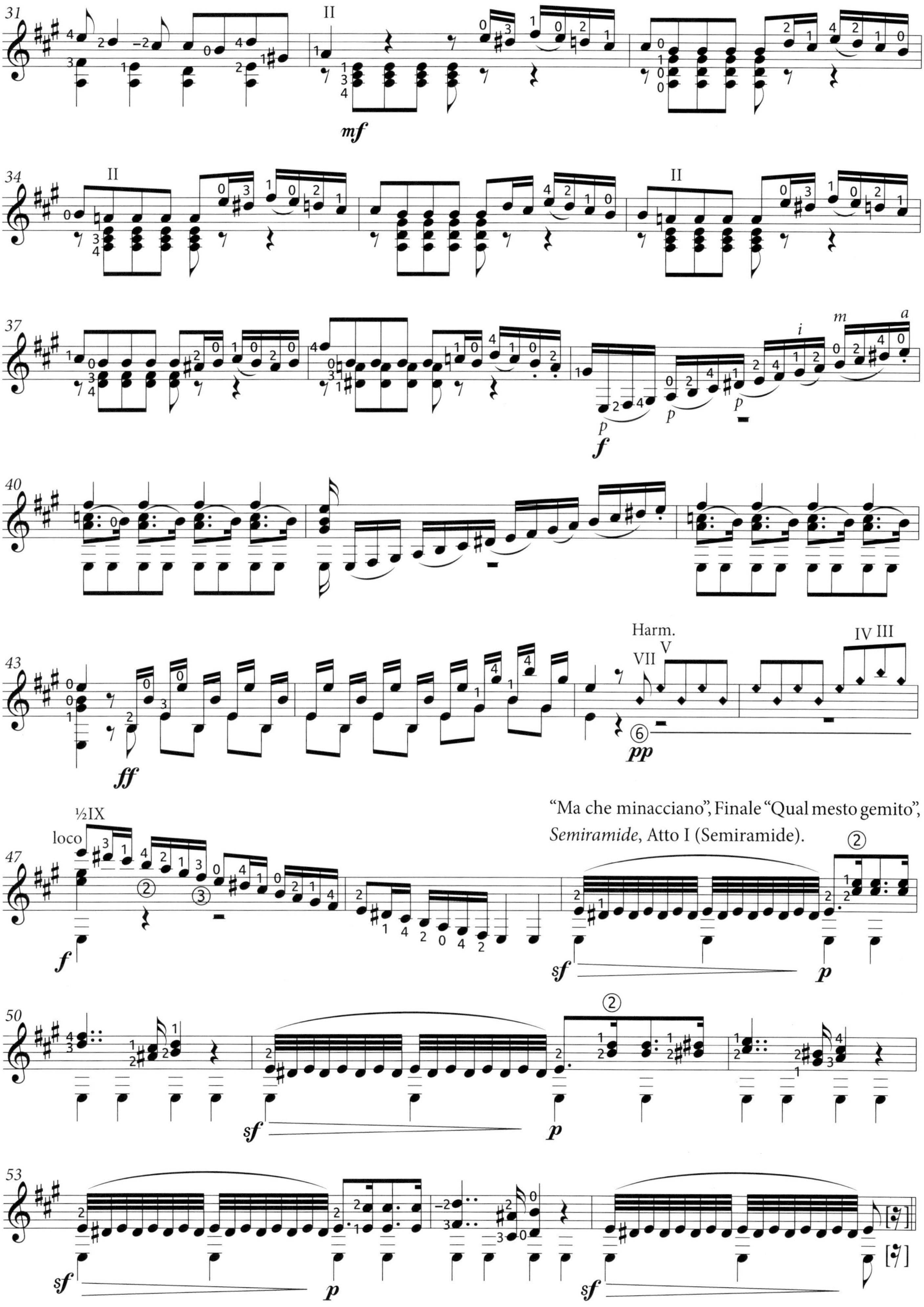
Harm.
loco
"Ma che minacciano", Finale "Qual mesto gemito",
Semiramide, Atto I (Semiramide).

"Qual mesto gemito", Finale, *Semiramide*, Atto I (Semiramide).

Larghetto - ROSSINI

VARIAZIONE 1 - GIULIANI

VARIAZIONE 2
½V

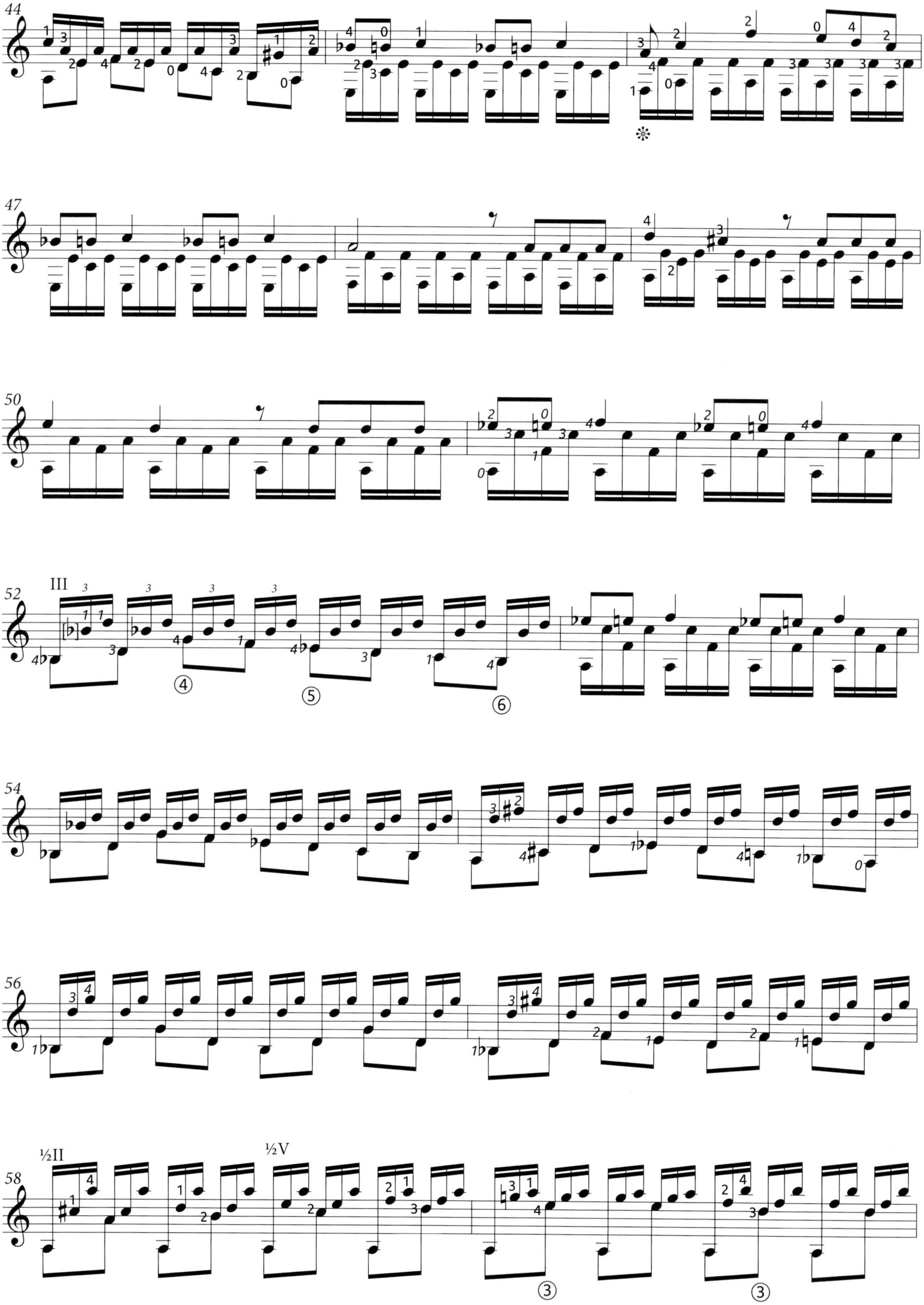
III
½II
½V

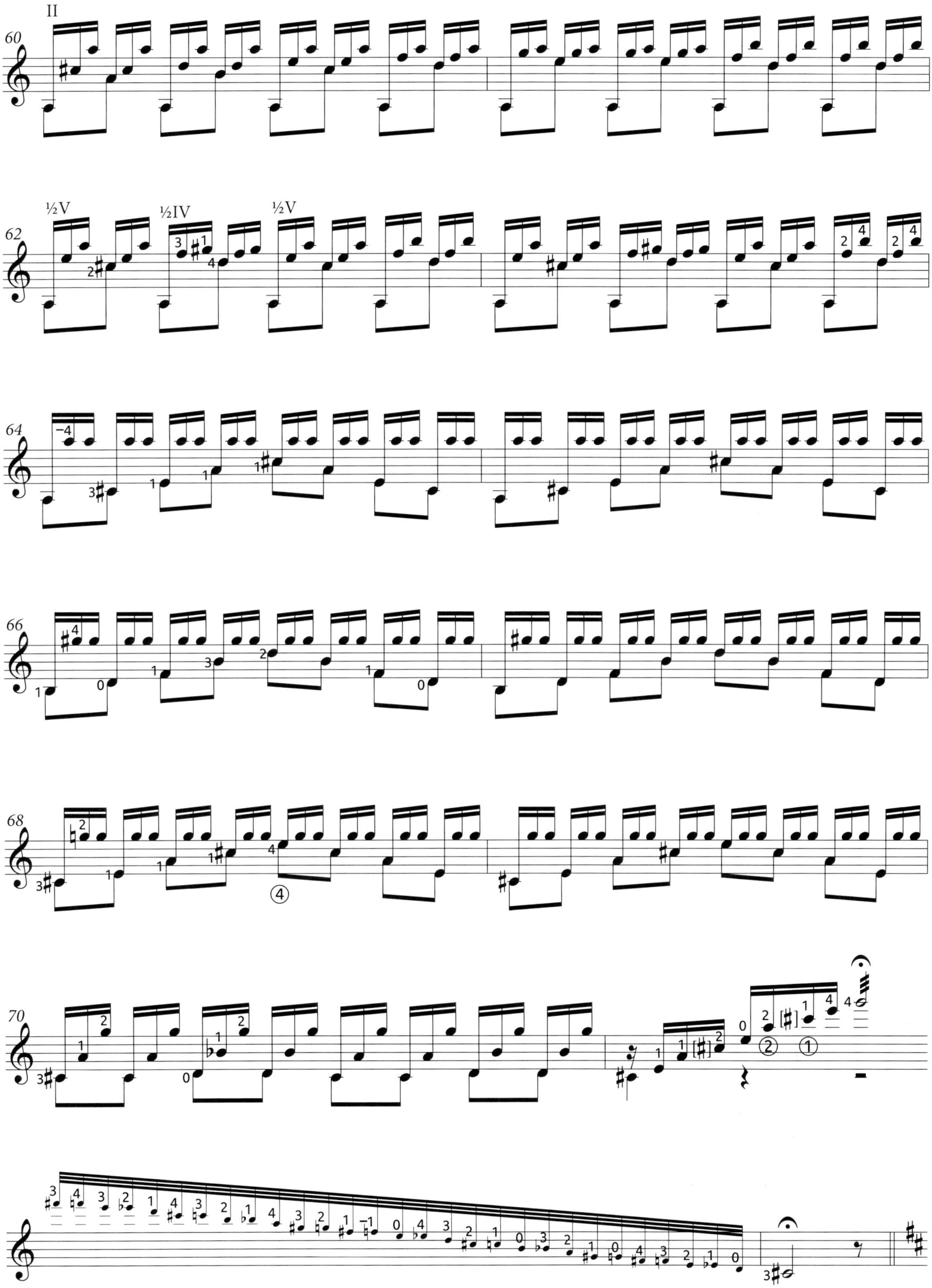
II
60
½V
½IV
½V
62
64
66
68
70

"Oh quante lagrime finor versai", Cavatina "Elena! oh tu, che chiamo!", *La Donna del Lago*, Atto I (Malcolm).

Maestoso - ROSSINI

½V
cresc.
X
diminuendo

GIULIANI

IX
mf

"Questo nome che suona vittoria", Scena ed Aria "Nube di sangue intrisa", *L'assedio di Corinto*, Atto III (Jero). Nella versione francese (*Le Siège de Corinthe*) corrisponde a "Répondons à ce cri de victoire", Récit. Scène et Chœur, Acte III (Néocles - Cléomène - Pamira - Ismène - Hiéros - Chœur).

Allegro brillante - ROSSINI

GIULIANI

46
II
48
II
50
52
54
f
56
sf
p

58
II
f
60
½VII
sf
p
½II
62
II
pp
p i p i
64
m a
cresc. poco a poco
66
(cresc. poco a poco)
68
(cresc. poco a poco)
f

Sinfonia, *Semiramide.*

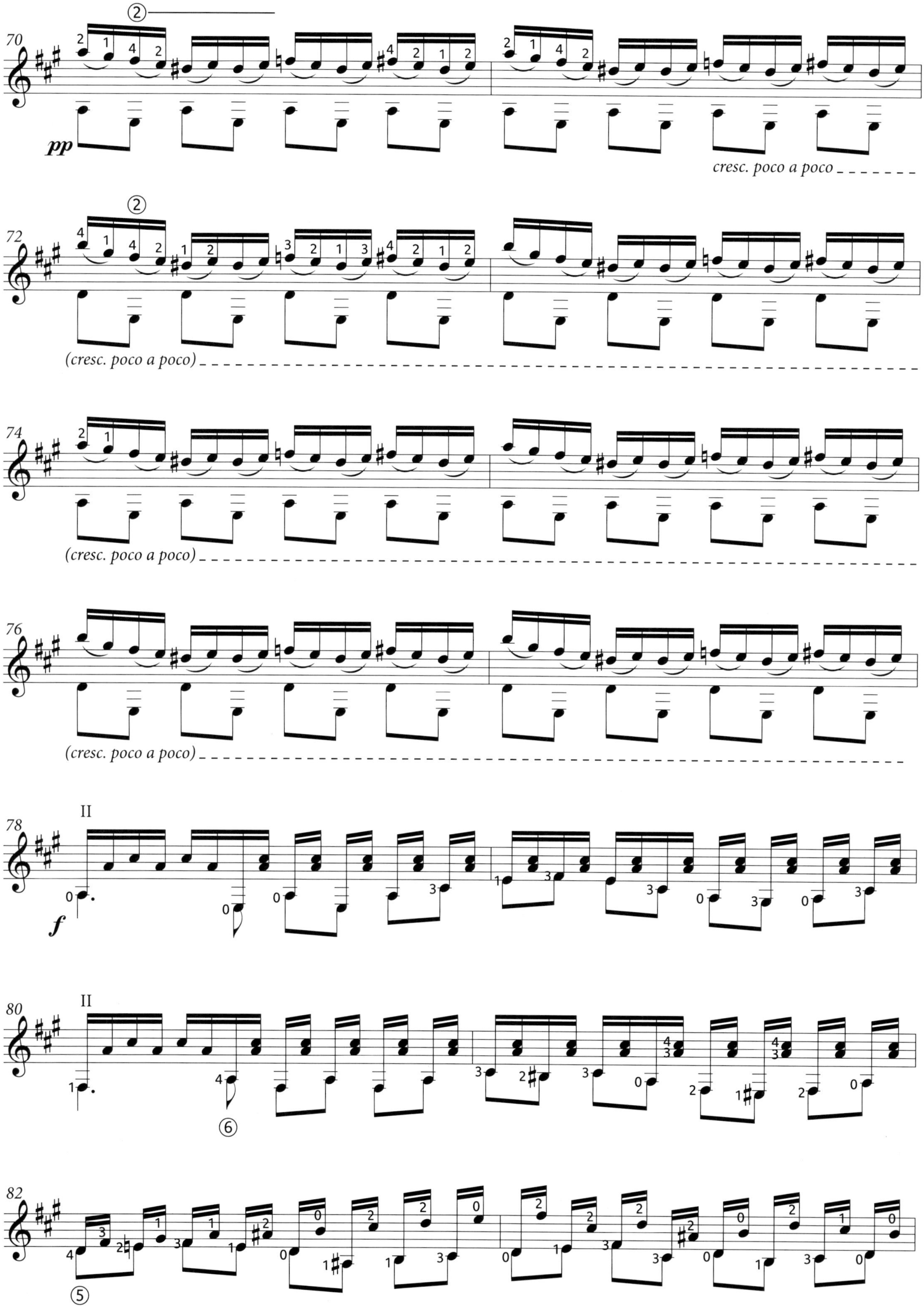

½II
II
½IX
½IX
½V

Commentaire critique, variantes et observations

Abréviations

Notation des mesures et des temps :

26, 27, 32 : mesures 26, 27 et 32
26–32 : de la mesure 26 à la mesure 32
26.3 : mesure 26, 3e temps indiqué par le dénominateur d'indication de temps du morceau
26.3–28.2 : depuis le 3e temps de la mesure 26 jusqu'au 2e temps de la mesure 28
26.3 et 28.2 : sur le 3e temps de la mesure 26 et sur le 2e temps de la mesure 28

Abréviations des sources

Ms.Giu : manuscrit autographe
Ms.No : manuscrit non autographe du Fonds Noseda
Ed.Art : édition Artaria
Ed.Dia : édition Diabelli
Ed.Ric : édition Ricordi

Rossiniana nº 1, opus 119

Introduction

3.2
Nous avons opté pour la leçon de Ms.No; elle se différencie de celle de l'édition Ed.Art, où il manque le premier temps.

Ed.Art

7.2
Ms.No et Ed.Art : il n'y a pas de bécarre devant le *do* ; il s'agit sans doute d'un oubli.

Ed.Art

16
Ed.Art : la note supérieure est un *si*.
Ms.No : la note supérieure est un *sol*.

« Assisa appiè d'un salice », Scène et Romance, *Otello*, Acte III (Desdemona)

10.2
Ed.Art : la dernière double croche est un *do*.
Ms.No : la dernière double croche est un *la* ; en outre on a deux triolets au lieu d'un sextolet.

31.1–2
Ed.Art : ∾ à la place d'un mordant.
Ms.No : le gruppetto n'est pas indiqué.

« Languir per una bella », Cavatine, *L'italiana in Algeri*, Acte I (Lindoro)

37.2
Ed.Art : la dernière triple croche de chaque groupe est un *la*.
Ms.No : la dernière triple croche de chaque groupe est un *sol*.

« Caro, caro ti parlo in petto », Rondo « Pensa alla patria », *L'italiana in Algeri*, Acte II (Isabella – Chœur)

30.1
Ed.Art et Ms.No : les quatre premières doubles croches sont *la*, *sol*, *do*, *la*. Le *do* a été remplacé par un *si* pour respecter le schéma mélodique des premiers groupes de doubles croches de la mesure.

« Cara, per te quest'anima », Duo « Amor! Possente nome », *Armida*, Acte I (Armida – Rinaldo)

68 et 75
Ms.No : cette source présente une autre leçon :

Rossiniana nº 2, opus 120

Introduction

45 (cadence)
ED.Art : dans la descente en tierces brisées, la tierce *mi-sol* est mineure avec un bécarre devant le *sol*.

«Deh! calma, o ciel», Scène et Romance, *Otello*, Acte II (Desdemona)

7 et 17
Les liaisons sur les deux dernières notes des triolets sont attestées par le manuscrit Ms.No pour la mesure 17 et par Ed.Art pour le premier triolet seulement de la mesure 7. On a choisi d'unifier l'articulation des deux mesures.
Dans les *Variazioni* opus 101 sur le même thème une leçon différente permet d'omettre la liaison :

22.1 et 26.1
Les liaisons sont reprises des *Variazioni* opus 101 sur le même thème.

«Arditi all'ire», Cavatine «Ah! no: sia questo», *Armida,* Acte I (Goffredo)

50 et 51, 52 et 53
Ms.No présente une leçon différente, qu'on retrouve également dans le même passage des *Variazioni* opus 102.

« Di piacer mi balza il cor », Cavatine, *La gazza ladra,* Acte I (Ninetta)

L'indication agogique **Moderato**, absente chez Giuliani, est de Rossini.

14.3
Accord difficile à jouer sans utiliser le pouce de la main gauche. Nous proposons une version simplifiée :

Rossiniana nº 3, opus 121

« Oh mattutini albori ! », Cavatine, *La donna del lago*, Acte I (Elena)

34.6
Ed.Art : sans ornement.

Allegro vivace

6–14
Ed.Art : l'inscription *Crescendo insensibilmente a poco a poco* est omise.

«Sorte ! Secondami», Introduction, *Zelmira*, Acte I (Antenore)

15 et 16
Ed.Art et Ms.Giu : on a opté pour la suppression du *fa* sur le premier temps de la mesure 16 car l'enchaînement avec la liaison précédente s'avère impossible à jouer à la vitesse requise (**Allegro**). Voici l'original :

«Cinto di nuovi allori», Introduction, *Ricciardo e Zoraide*, Acte I (Chœur)

59.4
Ed.Art et Ms.Giu : les trois dernières notes sont *mi-mi-do* au lieu de *mi-sol-mi.*

Rossiniana nº 4, opus 122

Sostenuto

15.2
Ms.Nos : *Sol♯* pour l'acciaccature.

28
Ed.Dia: la leçon de cette édition a été considérée comme erronée par d'autres réviseurs, qui en conséquence l'ont corrigée sans raison apparente.
Ms.No : leçon différente.

Allegro spiritoso

1.1
Ms.Nos : un V en chiffre romain ne se trouve que dans cette source.

15.1
Ed.Dia et Ms.Nos : la composition de l'accord a été modifiée pour faciliter l'exécution sans le pouce de la main gauche.

Partie orchestrale, Duo «Ah se puoi così lasciarmi», *Mosè in Egitto*, Acte I (Osiride – Elcia)

105 et 107–109
Ed.Dia : on ne trouve que deux coulés dans le premier groupe de quatre doubles croches de la mesure 107 ; les deux autres mesures sont sans coulés.
Ms.Nos : les coulés figurent uniquement à la mesure 107 sur les deux premières doubles croches des groupes de quatre.

On a uniformisé l'articulation suivant le schéma présenté à la mesure 107 de Ed.Dia.

116
Ed.Dia et Ms.Nos : la note supérieure des trois dernières croches est *la*.

«Piacer egual gli Dei», Finale, *Matilde di Shabran*, Acte I (Corradino)

12.3–4
Ed.Dia et Ms.Nos : la note dans la partie centrale des accords est *la*.

«Voglio ascoltar», Introduction, *La pietra del paragone*, Acte I (Baronessa–Fulvia–Pacucio–Fabrizio–Chœur).

91 et 92
Ed.Dia et Ms.Nos : il n'y a pas de coulés dans ces deux mesures.

Rossiniana nº 5, opus 123

Allegro con brio

33
Ms.Nos

Maestoso (le second)
«Zitti zitti, piano piano», Trio «Ah! qual colpo», *Il barbiere di Siviglia*, Acte II (Rosina – Conte – Figaro)

16 et 18
Ms.Giu : dans son manuscrit, Giuliani ne donne aucune indication agogique ; en revanche il fournit par un renvoi au bas de la page placé sur le deuxième temps de la mesure 18 l'identification de l'emprunt : « Trio du *Barbier de Séville* ».
Ms.Nos : **Allegro** est apparemment placé sous la mesure 16, position curieuse étant donné que les indications agogiques du manuscrit figurent toujours au-dessus de la portée ou en tête de la pièce ; l'indication pourrait se référer à la mesure 19, qui se trouve dans la portée située en dessous.
Ed.Dia : l'indication **Allegro** est placée à la mesure 16.

Rossiniana nº 6, opus 124

«Qual mesto gemito», Finale, *Semiramide*, Acte I (Semiramide)

17–28
Dans toutes ces mesures à deux voix l'alignement entre les croches de la partie supérieure et les triolets de la partie inférieure n'est pas toujours mathématiquement correct ; mais la graphie adoptée par Giuliani reflète la pratique d'exécution de l'époque : la croche seule de la voix supérieure doit être jouée avec la dernière note du triolet.

«Questo nome che suona vittoria», Scène et Aria «Nube di sangue intrisa», *L'assedio di Corinto*, Acte III (Jero)

41

Ms.Nos

Ed.Ric

Commento critico, varianti e osservazioni

Abbreviazioni

Notazione delle battute e dei tempi:

26, 27, 32: battute 26, 27 e 32
26–32: da battuta 26 a battuta 32
26.3: battuta 26, 3° tempo indicato dal denominatore dell'indicazione di tempo del brano
26.3–28.2: dal 3° tempo di battuta 26 al 2° tempo di battuta 28
26.3 e 28.3: sul 3° tempo di battuta 26 e sul 3° tempo di battuta 28

Abbreviazioni delle fonti

Ms.Giu: manoscritto autografo
Ms.No: manoscritto non autografo del fondo Noseda
Ed.Art: edizione Artaria
Ed.Dia: edizione Diabelli
Ed.Ric: edizione Ricordi

Le Rossiniane, Parte I, op. 119

Introduzione

3.2
Abbiamo scelto la lezione di Ms.No che differisce da quella dell'edizione Ed.Art alla quale manca il primo tempo.

Ed.Art

7.2
Ms.No e Ed.Art : il *do* bequadro nel basso non è presente, si tratta probabilmente di una dimenticanza.

Ed.Art

16
Ed.Art: la nota superiore è *si.*
Ms.No: la nota superiore è *sol.*

"Assisa appiè d'un salice", Scena e Romanza, *Otello*, Atto III (Desdemona)

10.2
Ed.Art: l'ultimo sedicesimo è *do.*
Ms.No: l'ultimo sedicesimo è *la*, inoltre si tratta di due terzine e non di una sestina.

31.1–2
Ed.Art: ∾ invece di mordente
Ms.No: il gruppetto non è riportato.

"Languir per una bella", Cavatina, *L'italiana in Algeri,* Atto I (Lindoro)

37.2
Ed.Art: l'ultima nota della quartina è *la.*
Ms.No: l'ultima nota della quartina è *sol.*

"Caro, caro ti parlo in petto", Rondò "Pensa alla patria", *L'italiana in Algeri*, Atto II (Isabella - Coro)

30.1
Ed.Art e Ms.No: i primi quattro sedicesimi sono *la, sol, do, la.* Il *do* è stato sostituito con un *si* per rispettare lo schema melodico delle prime quartine della battuta.

"Cara, per te quest'anima", Duetto "Amor! Possente nome", *Armida*, Atto I (Armida - Rinaldo)

68 e 75
Ms.No: questa fonte presenta un'altra lezione.

Le Rossiniane, Parte II, op. 120

Introduzione

45 (cadenza)
ED.Art: nella discesa per terze spezzate, la terza *mi-sol* è minore con un bequadro sul *sol.*

“Deh! calma, o ciel”, Scena e Romanza, *Otello*, Atto II (Desdemona)

7 e 17
La presenza delle legature sulle ultime due note delle terzine è attestata dal manoscritto Ms.No per la battuta 17 e da Ed.Art per la sola prima terzina di battuta 7. Si è scelto di uniformare l’articolazione delle due battute. Nelle *Variazioni* op. 101 sullo stesso tema una lezione differente permette di omettere la legatura.

22.1 e 26.1
Le legature sono riprese dalle *Variazioni* op. 101 sullo stesso tema.

“Arditi all’ire”, Cavatina “Ah! no: sia questo”, *Armida*, Atto I (Goffredo)

50 e 51, 52 e 53
Ms.No: presenta una differente lezione, comune anche al medesimo passaggio delle variazioni op. 102.

“Di piacer mi balza il cor”, Cavatina, *La gazza ladra*, Atto I (Ninetta)

L’indicazione agogica Moderato, assente in Giuliani, è di Rossini.

14.3
Accordo di presa difficile senza l’uso del pollice della mano sinistra. Proponiamo una versione semplificata:

Le Rossiniane, Parte III, op. 121

“Oh mattutini albori!”, Cavatina, *La donna del lago*, Atto I (Elena)

34.6
Ed.Art: l’abbellimento è omesso.

Allegro vivace

6-4
Ed.Art: la scritta *“Crescendo insensibilmente a poco a poco”* è omessa.

“Sorte! Secondami”, Introduzione, *Zelmira*, Atto I (Antenore)

15 e 16
Ed.Art e Ms.Giu: si è scelto di eliminare il *fa* sul primo tempo di battuta 16 poiché il concatenamento con la legatura precedente risulta impossibile da eseguire alla velocità richiesta (**Allegro**). L’originale è il seguente:

“Cinto di nuovi allori”, Introduzione, *Ricciardo e Zoraide*, Atto I (Coro)

59.4
Ed.Art e Ms.Giu: ultime tre note sono *mi-mi-do* invece di *mi-sol-mi*

Le Rossiniane, Parte IV, op. 122

Sostenuto

15.2
Ms.Nos: *sol*♯ per l’acciaccatura.

28
Ed.Dia: la lezione dell’edizione è stata da altri revisori ritenuta errata e quindi corretta senza apparente ragione. Ms.No: differente lezione.

Allegro spiritoso

1.1
Ms.Nos: V numero romano presente solo in questa fonte.

15.1
Ed.Dia e Ms.Nos: la disposizione dell’accordo è stata cambiata per favorire l’esecuzione senza pollice della mano sinistra.

Parte orchestrale, Duetto “Ah se puoi così lasciarmi”, *Mosè in Egitto*, Atto I (Osiride - Elcia)

105 e 107-109
Ed.Dia: due legature compaiono solo nella prima quartina di battuta 107 e le altre battute sono prive di legature.
Ms.Nos: le legature compaiono solo alla battuta 107 nei primi due sedicesimi di ogni quartina.
Si è uniformata l’articolazione allo schema presentato a battuta 107 di Ed.Dia.

116
Ed.Dia e Ms.Nos: la nota superiore delle ultime tre crome è *la*.

"Piacer egual gli Dei", Finale, *Matilde di Shabran*, Atto I (Corradino)

12.3–4
Ed.Dia e Ms.Nos: la nota nella voce centrale degli accordi è *la*.

"Voglio ascoltar", Introduzione, *La pietra del paragone*, Atto I (Baronessa - Fulvia - Pacucio - Fabrizio - Coro).

91 e 92
Ed.Dia e Ms.Nos: non compaiono legature in queste due battute.

Le Rossiniane, Parte V, op. 123

Allegro con brio

33
Ms.Nos

Maestoso (il secondo)
"Zitti zitti, piano piano", Terzetto "Ah! qual colpo" da *Il Barbiere di Siviglia*, Atto II

16 e 18
Ms.Giu: nel manoscritto di Giuliani non vi è nessuna indicazione agogica se non il richiamo con l'identificazione a piè di pagina del "Terzetto del Barbiere di Siviglia" che è posta sul secondo movimento di battuta 18.
Ms.Nos: Allegro apparentemente posto sotto battuta 16, posizione curiosa dato che le agogiche del manoscritto si trovano sempre sopra il pentagramma o al capolettera: potrebbe essere un'indicazione riferita alla battuta 19 che si trova nel pentagramma sottostante.
Ed.Dia: l'indicazione Allegro è posta a b. 16.

Le Rossiniane, Parte VI, op. 124

"Qual mesto gemito" Finale da *Semiramide*, Atto I

17–28
In tutte le battute a due voci l'allineamento tra le crome della voce superiore e la terzina nella voce inferiore non è sempre aritmeticamente corretto, tuttavia la grafia scelta da Giuliani rispecchia la prassi esecutiva dell'epoca: la singola croma della voce superiore va suonata con l'ultima nota della terzina.

"Questo nome che suona vittoria", Scena ed Aria "Nube di sangue intrisa", *L'assedio di Corinto*, Atto III (Jero)

41

Ms.Nos

Ed.Ric

Critical commentary, variants and observations

Abbreviations

Notation of bars and beats:
26, 27, 32: bars 26, 27 and 32
26–32: from bar 26 to bar 32
26.3: bar 26, 3rd beat
26.3–28.2: from 3rd beat of bar 26 to 2nd beat of bar 28
26.3 e 28.3: on 3rd beat of bar 26 and 3rd beat of bar 28

Abbreviation of the sources
Ms.Giu: autograph manuscript
Ms.No: non-autograph manuscript from the Fondo Noseda
Ed.Art: Artaria edition
Ed.Dia: Diabelli edition
Ed.Ric: Ricordi edition

Le Rossiniane, Part I, Op. 119

Introduction

3.2
We have chosen the reading from Ms.No which differs from that of the Ed.Art edition, where the first beat is missing.

Ed.Art

7.2
Ms.No and Ed.Art: there is no C-natural in the bass, which is probably an oversight.

Ed.Art

16
Ed.Art: the upper note is a B.
Ms.No: the upper note is a G.

"Assisa appiè d'un salice", Scena e Romanza, *Otello*, Act III (Desdemona)

10.2
Ed.Art: the last semiquaver is a C.
Ms.No: the last semiquaver is an A, furthermore, these should be be two triplets instead of one sextuplet.

31.1-2
Ed.Art: ∾ instead of a mordant.
Ms.No: the turn indication is missing.

"Languir per una bella", Cavatina, *L'italiana in Algeri*, Act I (Lindoro)

37.2
Ed.Art: the last note of the group of four is an A.
Ms.No: the last note of the group of four is a G.
"Caro, caro ti parlo in petto", Rondò "Pensa alla patria", *L'italiana in Algeri*, Act II (Isabella - Coro)

30.1
Ed.Art and Ms.No: the first four semiquavers are A, G, C and A. The C has been substituted with a B in order to respect the melodic structure of the first beat of the bar.

"Cara, per te quest'anima", Duet "Amor! Possente nome", *Armida*, Act I (Armida - Rinaldo)

68 and 75
Ms.No: this source gives another reading.

Le Rossiniane, Part II, Op. 120

Introduction

45 (cadenza)
ED.Art: in the descent by broken thirds, the E-G third is minor, with a G-natural.

"Deh! calma, o ciel", Scena and Romanza, *Otello*, Act II (Desdemona)

7 and 17
In Ms.No, slurs are found over the last two notes of the triplets in bar 17. In Ed.Art this only occurs over

the first triplet of bar 7. We have chosen to standardise the articulation of the two bars. In the *Variazioni* Op. 101 a different reading of the same theme allows for an omission of the slurs.

22.1 and 26.1
The slurs have been taken from *Variazioni* Op. 101 on the same theme.

"Arditi all'ire", Cavatina "Ah! no: sia questo", *Armida*, Act I (Goffredo)

50 and 51, 52 and 53
Ms.No: presents a different reading, which it shares with the same passage in the *variazioni* Op. 102.

"Di piacer mi balza il cor", Cavatina, *La gazza ladra*, Act I (Ninetta)
The Moderato indication, absent from Giulani's version, is from Rossini.

14.3
This chord is very difficult to finger without the use of the left thumb. We propose a simplified version:

Le Rossiniane, Part III, Op. 121

"Oh mattutini albori!", Cavatina, *La donna del lago* Act I (Elena)

34.6
Ed.Art: this ornament is omitted.

Allegro vivace

6–14
Ed.Art: the indication *"Crescendo insensibilmente a poco a poco"* ["a bit-by-bit imperceptible crescendo"] is omitted.

"Sorte! Secondami", Introduzione, *Zelmira*, Atto I (Antenore)

15 and 16
Ed.Art and Ms.Giu: we have chosen to eliminate the F on the first beat of bar 16 because the connection to the preceding slur is impossible to carry out at the requested speed. (Allegro). Here is the original:

"Cinto di nuovi allori", Introduzione, *Ricciardo e Zoraide*, Act I (Coro)

59.4
Ed.Art and Ms.Giu: the last three notes are E-E-C instead of E-G-E.

Le Rossiniane, Part IV, Op. 122

Sostenuto

15.2
Ms.Nos: G♯ for the acciaccatura.

28
Ed.Dia: the reading of the edition was considered erroneous by certain editors and therefore "corrected" without any apparent reason.
Ms.No: differences in the readings.

Allegro spiritoso

1.1
Ms.Nos: the Roman numeral V is present only in this source.

15.1
Ed.Dia and Ms.Nos: the disposition of the chords has been changed in order to favour its execution without the use of the left-hand thumb.

Orchestral segment, Duo "Ah se puoi così lasciarmi", *Mosè in Egitto*, Act I (Osiride – Elcia)

105 and 107–109
Ed.Dia: there are two slurs that appear only during the first beat of bar 107, the other bars are without slurs.
Ms.Nos: the slurs only appear in bar 107 over the first two semiquavers of each group of four. The articulations were standardised according to the example found in bar 107 of Ed.Dia.

116
Ed.Dia and Ms.Nos: the upper note of the last two quavers is an A.

"Piacer egual gli Dei", Finale, *Matilde di Shabran*, Act I (Corradino)

12.3–4
Ed.Dia and Ms.Nos
The note in the middle voice of the chords is an A.

"Voglio ascoltar", Introduzione, *La pietra del paragone*, Act I (Baronessa – Fulvia – Pacucio – Fabrizio – Coro).

91 and 92
Ed.Dia and Ms.Nos: there are no slurs in these two bars.

Le Rossiniane, Part V, Op. 123

Allegro con brio

33
Ms.Nos

Maestoso (the second)

"Zitti zitti, piano piano", Terzetto "Ah! qual colpo" from *Il barbiere di Siviglia*, Act II

16 and 18
Ms.Giu: in Giuliani's autograph manuscript there are no tempo indications except for a reference at the foot of the page: "Terzetto del Barbiere di Siviglia" placed over the second beat of bar 18.
Ms.Nos: there is an **Allegro** indication apparently placed under bar 16, a curious position considering that the tempo indications in the manuscript are always found above the staff or at the beginning: this could also be an indication that refers to bar 19 found in the underlying staff. Ed.Dia: the **Allegro** indication is found at b. 16.

Le Rossiniane, Part VI, Op. 124

"Qual mesto gemito", Finale, *Semiramide*, Act I

17–28
In all of the two-voice bars, the alignment between the quavers of the upper voice and the triplets in the lower one is not always arithmetically correct. However, the way of writing chosen by Giuliani reflects the performance practice of the day: the single quaver of the upper voice is played together with the last note of the triplet.

"Questo nome che suona vittoria", Scene and Aria "Nube di sangue intrisa", *L'assedio di Corinto*, Act III (Jero)

41

Ms.Nos

Ed.Ric